UNIVERSALE
ECONOMICA
FELTRINELLI

MARCO
MISSIROLI
Senza coda

© Giangiacomo Feltrinelli Editore Milano
© 2005, Marco Missiroli
Pubblicato in accordo con MalaTesta Lit. Ag. Milano
Prima edizione nell'"Universale Economica" gennaio 2017
Seconda edizione maggio 2017

Stampa Nuovo Istituto Italiano d'Arti Grafiche - BG

ISBN 978-88-07-88904-2

Senza coda è un'opera di fantasia. Personaggi, luoghi, situazioni sono creazioni dell'autore. Ogni riferimento a fatti e persone è puramente casuale.

www.feltrinellieditore.it
Libri in uscita, interviste, reading,
commenti e percorsi di lettura.
Aggiornamenti quotidiani

IL RAZZISMO
È UNA
BRUTTA STORIA.
razzismobruttastoria.net

*Ad Aurelio Vandi
che, sono sicuro,
esiste in questa storia*

Come faccio a far capire a mia moglie
che anche quando guardo fuori dalla
finestra sto lavorando?

JOSEPH CONRAD

1.

Più veloce, ti prego, più veloce.
Fa' che arrivo presto. Prestissimo.
Aiutami.
Ti prego, Gesù Bambino.

Quando il sole è lassù anche il male non c'è più,
con il nero e con la luna vola via la mia paura.
Il male se ne va, vola in alto vola là,
e felice io sarò fino a quando lo vorrò.
Fino a quando lo vorrò, lo vorrò,
fino a quando lo vorrò.

2.

Pietro si accorse di Nino che ancora le mani gli bruciavano. Lo sentì avvicinarsi dai colpi di tosse che anticiparono di poco la sua barba grigia e la tuta verde piena di buchi. Fu allora, quando quella pancia grande gli sfiorò le spalle, che ritornò con gli occhi fissi al muro. La lucertola era ancora lì, immobile e appesa.

Di nuovo, avvolse i palmi e le dita al legno del manico, poi strinse e spinse in alto, finché i denti del rastrello grattarono un bianco qualunque della parete e si abbassarono sopra la sua testa. Sentì la fatica e la lucertola restò alta e irraggiungibile.

Non guardò il vecchio, ma lasciò che da dietro sollevasse quell'attrezzo al suo posto. Che toccasse la lucertola di quel poco che serviva. Allora lei cadde tra la terra e la polvere e lui le fu subito sopra, impastando aria ed erba. Poi imprigionò quei movimenti disperati nel vetro del barattolo. Prese il piccolo coltello e lo aprì.

Adesso non c'era più nessuno. Nino e il suo rastrello erano già lontani.

Rovesciò quel corpo nervoso sull'asse larga che proprio il vecchio gli aveva levigato. Lo bloccò, strisciando la lama contro la carne. Schiacciò forte, fin quando sentì il legno fermargli la mano.

Poi, la lucertola fuggì oltre quelle dita che l'avevano resa incompleta. Al di là di quegli occhi che l'avevano fissata lucidi.

Pietro afferrò di punta la parte mozzata. La chiuse nel contenitore e tornò al muro bianco ormai buio. Pensò alla lucertola che era diventata sua, a quanto fosse grossa. A quando l'avrebbe sistemata nel barattolo, con le altre.

Ma d'un tratto, da dietro, delle mani gli arrivarono addosso. La sua testa fu colpita e sbattuta, colpita e sbattuta. Tutto girava, le gambe cedettero. Cadde proprio là, dove lei era precipitata la prima volta. E lì, ancora, sentì delle gambe che lo pestavano sulla schiena e sullo stomaco. Si fermavano e poi tornavano, ancora e ancora. Iniziò a piangere, non per il dolore o la paura, ma perché sapeva che non avrebbe mai più rivisto quella coda persa nell'erba. Mai più. Ne era sicuro.

È mia. Fa' che la coda è solo mia e basta. Anche la tavola di legno e il barattolo sono miei, sono là fuori, papà non me li ha fatti prendere e ora forse me li rubano.

Non lo sapevo che era tardi, non lo sapevo per niente e ora c'è il rosa della pelle che va via e diventa nero e se mi tocco fa male. E anche dopo. Le macchie nere fanno male sempre. Però tra un po' passa, l'ha detto mamma. Ha detto: "Non ti preoccupare amore che passa. Basta che stai fermo e chiudi gli occhi". L'ha detto piano piano e mi ha anche promesso che quando papà guarda la signorina lei mi porta il formaggino con il pane. Quello con la bambina felice sulla carta d'argento.

Quando lo faccio arrabbiare, papà dice che sono cattivo e mi picchia. Invece quando sono buono anche lui è buono e ride. Prima però papà era sempre buono e tutte le volte che catturavo le code diceva che io ero il

*più grande cacciatore del mondo. Adesso non lo dice
più e mi parla poco.*

*Fa' che nessuno ruba la mia coda e le cose mie, fa'
che gli uomini del cancello non fanno entrare nessuno.
Ti prego, Gesù Bambino, fa' che ci sono loro al cancello
che vedono tutto.*

3.

"Mangia!"

Il difficile era spaccare la parete del guscio. Pietro ci riuscì un attimo prima che la forchetta gli scivolasse dalle dita, ricadendo senza rumore sopra lo spicchio di limone al bordo del piatto.

Gli occhi che aveva di fronte si alzarono appena.

Se avesse ascoltato il vuoto del suo stomaco, Pietro avrebbe ingoiato la corazza tutt'intera. Invece quello che fece fu aprirla un po' alla volta.

Siccome le chele potevano anche scattare all'improvviso, guardò attento gli spigoli pericolosi delle due leve e decise di iniziare dal mezzo, dove non si rischiava nulla. Così batté col coltello contro la parte alta del guscio che rimase fermo, serrato come un'armatura. Pietro batté e batté, fin quando un liquido giallastro sgorgò tra minuscole bolle da una crepa invisibile. Osservò il rigagnolo colare nel piatto fino al centro, in una piccola palude densa e opaca. Provò a non fissarla, ma quella bava di animale occupava quasi tutto il suo piatto. Schiacciò più che poté la punta della forchetta dentro il buco nero. La corazza crollò sotto la sua forza, rilasciando altra acqua scura, più densa e appiccicosa di prima. La sua forchetta si invischiò: quando cercò di salvarla era già cosparsa di filamenti lunghi e collosi.

Un odore dolciastro lo raggiunse.

Pietro sollevò lo sguardo. E se le vide davanti, quelle bocche avide, masticare ogni parte inzuppata. Sentì la polpa urlare tra quei denti, scivolare unta contro le guance e tra le gengive fino a tacere in quelle gole palpitanti.

Con la punta della posata spaccò il guscio che rovesciò d'un fiato le sue bianche interiora.

Si fermò. Poi, rassegnato, inforcò un pezzetto di quella carne bagnata. Se la portò alla bocca, ingoiò ma i sapori non arrivavano, soffocati dal naso chiuso. Il molliccio gli si appoggiò sulla lingua, scivolava in ogni angolo possibile. Si mischiava alla saliva pesante e acida.

Il suo ventre si chiuse, mentre il mostro che aveva ingerito scivolava giù fino allo stomaco.

Respirò lento.

Ne infilzò ancora.

Prima un boccone. Poi un altro, rispettando le regole: la schiena dritta, le gambe ferme. I gomiti bassi.

Pietro mangiò e mangiò.

La corazza fu girata e svuotata, gli occhi lessi lo fissarono e lui fissò loro. Scovò l'ultimo pezzetto contro un angolo del guscio: un trancio piccolo, imbevuto di quell'acqua sporca. Lo schiacciò contro l'unica parte di corazza rimasta intatta. Lo incastrò dove non poteva essere scoperto. Poi portò rapido la forchetta vuota in bocca.

Nel piatto rimasero solo i cocci lucenti.

"Allora saltare la cena aiuta! Maria, hai visto? Guarda tuo figlio. Guarda come è felice di mangiarlo. Vorrà dire che d'ora in poi mangerà granchio ogni volta che la sera prima avrà saltato il pasto."

Pietro mise le sue piccole mani dietro la schiena. E rimase a fissare il piatto.

Si sentiva spossato. Il bagnato sotto il braccio colava fino ai fianchi.

Improvvisamente, insistenti e cattivi, i denti di una nuova forchetta lo cercarono. Una, due, tre volte spinsero contro le sue labbra serrate.

"Non ne vuoi? Eh? Non ne vuoi più?" disse suo padre allungando il braccio.

Gli aculei lo punsero di nuovo. Entrarono nella sua bocca riempiendola di altra polpa molliccia. Il sapore dolciastro e subito aspro lo invase. Pietro restò per un attimo con le guance gonfie a guardare quegli occhi azzurri e sottili che lo fissavano seri. E a fianco altri occhi, tristi e impotenti.

Poi sputò tutto, da dentro le budella salivano. Gli venne da tossire una, due, tre volte. Non riuscì più a trattenersi, scaricò l'acido del suo stomaco sul bianco ricamato della tovaglia. Piccoli rantoli ruppero per sempre l'ordine della stanza.

"Basta, per favore. Sta male..." fece sua madre con un filo di voce.

Un pugno sbatté contro il tavolo. Piatti, bicchieri, posate saltarono tutti.

"Vieni da me dopo." La voce di suo padre uscì calma e ferma.

Ascoltò quell'ordine prima ancora di riuscire a respirare, prima ancora di capire cosa fosse quella cosa che lo stava mordendo dentro. Gli mancò il fiato. Sollevò la testa e rimase così, fermo nel suo spasmo. Intanto suo padre si era già voltato, aveva rovesciato la sedia e si era diretto fuori dalla sala da pranzo.

Sua madre corse ad abbracciarlo. Lo strinse forte, ma il tremore non passava. Gli asciugò la bocca bagnata con il tovagliolo, e quando le cameriere si affrettarono al tavolo, sussurrò: "Mio marito è solo un po' nervoso".

La tovaglia della domenica si è sporcata tutta per colpa mia. Io non volevo che si sporcava ma c'era il granchio che si muoveva e che non ci voleva più stare nella mia pancia, è salito fino alla bocca e non stava fermo mai. E c'erano tutti che mi guardavano e mamma era triste.

A papà piacciono molto i pesci, soprattutto quelli grandi con gli occhi tondissimi e tutti bianchi. E anche le piovre nere e i granchi.

A me no, sembra che si muovono nel piatto e hanno tutta la saliva nera che esce dalla bocca.

La porta dello studio si richiuse alle sue spalle. Un rumore secco che lo separò da tutto quel fumo e da quella voce.

"Fra tre giorni ci vai da Carmine, a papà?" Pietro si ripeté nel corridoio. Quando era entrato, suo padre lo aveva fatto subito mettere sul divano con le zampe di cane, quello dove non ci si sedeva mai nessuno. Poi gli aveva offerto il cioccolatino con la menta che stava nella ciotola d'argento. "Per ripulirti la bocca," aveva sorriso. Ne aveva preso uno anche per sé e accarezzandogli la testa gli aveva detto: "Fra tre giorni ci vai da Carmine, a papà?".

Pietro serrò gli occhi e quando li riaprì si ritrovò davanti al pendolo di legno scuro che batteva regolare i suoi rintocchi. Camminò tra il buio dei quadri vecchi che lo fissavano dalle pareti, finché il corridoio lo portò alla sua stanza. Lì appoggiò la cartella sul letto e si cambiò subito la maglia bagnata.

Guardò fuori: la luce abbagliava fino a stordire. Si affacciò sul corridoio vuoto, lo percorse al passo di sempre, e superò la sala della televisione. Scese le scale fino alla fontana di pietra davanti al portone d'entrata. E corse. Filò via veloce tra la ghiaia e attraverso le siepi, i pugni stretti e le gambe sottili contro il vento caldo e polveroso. Schivò le siepi con i rami corti e con le foglie tutte verdi. Finì nell'ombra e di nuovo nel sole. Più si avvicinava e più dentro il petto aumentavano i morsi.

Si fermò davanti al muro bianco della piccola casa del giardiniere. Si guardò attorno e di scatto si accovacciò e cominciò a frugare tra l'erba. Non trovò le cose. L'asse di legno e il barattolo vuoto erano spariti.

In un attimo il suo viso si coprì di pieghe e il respiro divenne corto e ripetuto. Pietro si alzò in piedi, catturato da una disperazione che lo fece guardare lontano, oltre gli alberi, dove iniziava il giardino. Non li vide, ma sapeva che loro c'erano. E fu schiacciato dal pensiero che erano stati proprio gli uomini del cancello a sbagliare. Forse non erano stati abbastanza attenti e non avevano visto che qualcuno era entrato e aveva rubato.

Girò intorno al muro bianco e al lato lungo della piccola casa. Provò a spingere la porta chiusa, ma quella non si mosse. Un sudore caldo gli rigò il cotone della maglietta. Annusò il bagnato, non puzzava. Allora trattenne il respiro e ripartì strusciando contro la parete rugosa finché, all'improvviso, non si accorse che una macchia verde camminava nell'orto. Si muoveva lenta tra le foglie pelose dei pomodori, sembrava una grande pianta con le gambe. Tossì, per via del fiato che gli grattava contro la gola. Tossì più forte e strofinando il dito sotto il naso si avvicinò a Nino, il giardiniere: la schiena larga e piegata sopra la terra secca, la folta barba grigia che sfiorava le foglie nate da poco. Ascoltò l'acqua scendere dall'innaffiatoio incrostato di nero.

Gli fu a fianco, poi quasi di fronte.

Nino lo scostò passando da pianta a pianta.

"Fammi finire di innaffiare," disse.

"Nino, le mie cose non ci sono più!"

Il vecchio si spostò di qualche passo e si chinò sopra un grande vaso di basilico dalle foglie grandi come lenzuoli.

"Me le hanno rubate!" gridò, e scappò via.

"Vieni qui!"

Pietro si voltò appena e continuò a correre.

"Vieni qui!" disse ancora il vecchio agitando la mano libera.

Si fermò di scatto e sbuffando tornò da quella barba grigia e da quegli occhi arrossati che ora lo guardavano straniti.

"Nino! Le hanno rubate!"

"Nessuno ha rubato niente."

"Sì! Hanno preso le cose mie, papà non me le ha fatte portare in casa e se le sono prese!"

"Ascolta a me, nessuno si è preso nulla. A tuo padre però ieri l'hai fatto arrabbiare."

"Non lo sapevo che era tardi," rispose Pietro stringendo i pugni.

"E apri quelle mani! Che ci tieni, le mosche?"

"Non lo sapevo che era tardi."

"Non lo sapevi perché non guardi mai il sole, tu. Quando il sole è basso e c'è poca luce vuol dire che è tardi e devi tornare. Anche i fiori vanno a dormire, con il sole che si spegne, e tu devi fare lo stesso." Il vecchio svuotò l'innaffiatoio su una piantina selvatica e continuò: "Altrimenti tuo padre s'arrabbia".

"L'asse e il barattolo non ci sono più! Qualcuno li ha portati via!"

Nino gli fece cenno di seguirlo. Uscirono dall'orto e insieme tornarono alla piccola casa.

L'odore di terriccio gli entrò in bocca e lo riempì tutto. Pietro conosceva molto bene quell'odore e anche quel disordine, ma bastò poco e ogni stranezza si ammorbidì. Gli piacevano tanto le tenaglie rosse con la punta un po' storta sul tavolo della cucina e le lunghe forbici per i rami sul lavandino. E poi quel mazzo di fiori secchi da matrimonio sopra il frigorifero.

Seguì l'andatura goffa e ciondolante di Nino, ma questa volta non lo imitò nella sua camminata tutta storta e trascinata. Gli stava solo attaccato alla schiena, quasi a spingerlo. Quasi senza respiro.

Arrivarono all'ultima stanza, quella adiacente al bagno. Era come entrare in una soffitta stipata, piena di ogni tipo di libri, di mobili dalle forme più strane con tanti dischi uno sopra l'altro. E alle pareti le fotografie di gente allegra che balla.

Pietro sentì calore, un tepore che dalle gambe gli saliva piano lungo la schiena e dalla schiena fino alla fronte e poi scoppiava dentro, a calmare la ferocia nello stomaco rattrappito.

Nino si fermò in fondo alla stanza, accanto al comodino con la chiave d'oro. C'era un televisore sopra. Piccolo, giallo e con l'antenna tutta storta. Pietro lo riconobbe subito. Era il regalo di Natale che la sua famiglia aveva scelto quell'anno per ogni domestico. Guardò Nino aprire l'anta destra del comodino e inginocchiarsi.

"Te ne dovrò costruire una più leggera prima o poi."

Pietro riebbe indietro la tavola di legno e il barattolo con il tappo di latta e la frutta in rilievo sul vetro. Uguale a quello che Aderita usava per fare le crostate, ma dentro al posto della marmellata c'era l'alcol, nel quale affogavano i suoi trofei segreti.

"L'ultima coda c'è già."

L'ultima, la più grossa.

Pietro sorrise e precedette il vecchio in cucina. Lì

scelse la sedia che ballava meno, quella nera a capota-
vola, si sedette e aspettò con lo sguardo fisso sul lavello. Il cesto di vimini sul ripiano traboccava di bottiglie mezze vuote, mentre un nugolo di mosche ci
ronzava intorno disegnando cerchi sempre diversi.

Raddrizzò la schiena, poi si portò le mani alla
fronte, sentì che scottava e grattò via il sudore impa-
stato di polvere dalla pelle bagnata.

Nino gli passò accanto. Sputò nel fazzoletto, si
tirò su le maniche larghe della tuta verde e si strofinò
le mani sotto l'acqua gelida del rubinetto. Andò alla
madia accanto alla finestra, aprì lo sportello e prese la
pagnotta grande avvolta nella tela a quadretti bianchi
e rossi. La srotolò e appoggiò il pane sul tavolo.

Pietro si incantò davanti a quei gesti lenti.

Anche se il suo preferito era quello fondo con le
banane corte e verdi, quello sotto la caffettiera, questa volta gli toccò il piatto bianco con le fragole. Se lo
trovò improvvisamente vicino al petto e si accorse che
una delle due fragole era più rossa dell'altra.

Il tavolo vibrò mentre Nino affondava il coltello
seghettato nel punto dove il pane era più farinoso. La
prima fetta, più scura, la tenne per sé. La seconda, più
spessa, andò nel piatto delle fragole.

Pietro abbassò la testa. Il profumo della mollica
fresca lo raggiunse. Era di pasta soffice e bianca, un
bianco che divenne subito scuro. Prima nero, poi rosso, infine rosa.

Il vino che Nino gli aveva versato nel piatto scomparve subito, la mollica finì di berlo ancor prima che
il giardiniere rimettesse a posto il fiasco nel cesto di
vimini. Il vecchio cosparse di zucchero la sua fetta e
quella nel piatto delle fragole rosse. Pietro non si mosse, gli occhi persi sul mucchietto di terriccio di fianco
alla sedia. Ascoltò Nino masticare. Prese in mano la

sua fetta pesante e profumata e se la portò alla bocca. Lo stomaco divenne piccolo e stretto, la testa pulsava. Mise giù la fetta e allontanò il piatto.

"Non mangi?" domandò il vecchio. "Che, hai perso la lingua?"

"Oggi papà mi ha chiesto il favore." Parlò tutto d'un fiato.

"Quando?"

"Fra tre giorni. Ha detto: 'Fra tre giorni ci vai da Carmine, a papà?'."

Mi pizzica la cosa nella pancia, è cattiva e mi dà sempre i morsi. Oggi quando papà mi ha chiesto il favore io li ho sentiti i morsi, sono piccoli piccoli e molto forti e ci sono delle volte che non mi fanno muovere. Gesù Bambino, io da Carmine non ci voglio andare ma se poi non ci vado papà s'arrabbia e diventa cattivo e dopo picchia mamma. La picchia anche quando lei mi mette la mano davanti agli occhi perché non vuole che guardo le cose cattive che la signorina fa vedere la sera. E se non ci vado lui non ride più e non mi dice più che sono il bambino più bravo del mondo.

Io da Carmine non ci voglio andare per niente ma papà vuole che ci vado lo stesso. Me l'ha detto. Oggi ha detto: "Fra tre giorni ci vai da Carmine, a papà?".

Allora io ubbidisco così è felice e ritorna buono e lascia stare mamma e dice che sono il più grande cacciatore che esiste. Il più bravo di tutti.

Fa' che non sbaglio da Carmine, ti prego, Gesù Bambino.

4.

La testa di Luigi, Pietro l'aveva osservata da vicino per tutto il tempo che erano stati compagni di banco. L'aveva guardata bene sia da dietro, sia di profilo. E anche davanti alle fotografie del mare non aveva notato grandi differenze.

Ma allora come faceva a essere più intelligente di lui?

Luigi era un po' più alto, ma non dipendeva nemmeno da quello. E non dipendeva neanche dalle ore che passava sui libri, perché Luigi i compiti li faceva la mattina cinque minuti prima che suonasse la campanella.

Pietro era bravo in italiano, ma con i numeri non andava per niente d'accordo. Però si accontentava, perché ognuno è nato per essere bravo in una materia. O almeno questa era stata la sua convinzione fino al giorno in cui aveva capito che per Luigi le cose erano diverse: bravissimo in italiano, matematica, scienze. Tutte e tre.

"Qui togli uno e aggiungi la metà dell'altro. Meno uno, più metà di dodici. Fa diciannove. Capito?"

Pietro annuì. Poi arricciò le spesse sopracciglia.

Qualcosa gli sfuggiva.

"Prova il ventitré." Luigi gli indicò l'esercizio, mettendogli il libro sotto il naso.

Non che fosse spaventato, ma là dentro c'erano parole molto difficili. Lesse. Prima piano, poi alzando il tono. A voce alta il problema si capiva ancora di meno. Pietro attese che qualcosa di straordinario avvenisse nella sua testa. Ma siccome non arrivava, provò lo stesso: "Togli due e aggiungi la metà dell'altro".

Il silenzio che seguì lo convinse di avere sbagliato, ancora una volta.

"Non hai capito."

Ecco, colpito.

I suoi occhi andarono al bottone scucito della camicia di Luigi. Poi più su, verso la Madonna che pendeva dalla collanina d'oro opaco.

Pietro abbassò la testa. Non sarebbe bastato tutto un pomeriggio per fagli entrare in zucca una sola moltiplicazione.

La cicala fermò il suo canto mentre il vociare delle cameriere entrava debole dalla finestra aperta.

Luigi tirò il libro a sé. Lo chiuse di scatto, e la copertina di plastica blu rifletté per un attimo il sole che filtrava. Si infilò in bocca il cappuccio mangiucchiato della penna e con la mano libera frugò nella cartella. Tirò fuori il libro rosso di italiano con al centro la scritta arancione in grande: *Antologia*. E sotto, scarabocchiato in piccolo, *Pietro Sezione A*.

Pietro si grattò le orecchie e il naso. E glielo strappò dalle mani.

"Ci sono i verbi, oggi."

Luigi sorrise. E già Pietro era dall'altra parte del tavolo, chino sugli esercizi.

Non si parlarono più, non ce n'era bisogno, sapevano cosa dovevano fare: Pietro la grammatica, Luigi l'aritmetica e la geometria. Poi, alla fine, Pietro avrebbe sbirciato nel quaderno di Luigi, per aggiustare tutti gli errori.

Le loro mani filavano veloci sulle pagine bianche. Le gambe immobili, quasi a toccarsi. Ogni tanto lo sguardo alla finestra, dove il sole continuava a restare alto. Perché, là fuori, c'era molto da fare.

"Oggi tuo padre è occupato, prima di stasera non esce," aveva detto sua madre liberandoli con una sola frase.

Così avevano rimesso libri e quaderni nelle loro cartelle ed erano ritornati in camera. Avevano chiuso la porta a chiave e si erano fermati per un attimo davanti a tutti quei colori. Dalla finestra la luce riempiva i muri azzurri e li faceva brillare. C'erano l'arancione e il giallo degli aquiloni. Sua madre li aveva dipinti sulle pareti e ora sembravano volare per tutta la stanza. Erano piccoli soli colorati che si posavano sulla scrivania e poi di fronte, sul letto perfettamente piegato. E si fermavano sul baule sotto la finestra a dare la carica ai giocattoli di latta. Gli aquiloni volavano dappertutto e, all'improvviso, entrarono dentro l'armadio, quando Pietro lo aprì per prendere il coltello, l'asse di legno e la maglietta bianca delle Olimpiadi.

Passò a Luigi il necessario per la grande caccia e si infilò la maglietta, poi uscirono in punta di piedi, strisciando lungo il corridoio. Il respiro nella pancia, davanti alla porta chiusa dello studio di suo padre.

Il sole fu uno schiaffo dritto in faccia. Sembrava ancora più acceso una volta superata la fontana e le siepi. Là, nel bosco rado che portava alla piccola casa, la luce accecava ogni cosa, superava le foglie degli alberi e si schiacciava al terreno e lo spaccava. Si appoggiava sull'erba un po' verde e un po' secca. Era il rosso dei pomodori, era il viola delle prugne. Anche il muro della piccola casa diventava ancora più bianco, quasi arso, quasi crepato nel suo calore che mangiava ogni cosa lì attorno.

Tutti e due fecero qualche passo indietro, con gli occhi a scrutare ogni angolo della parete.

Luigi fu il primo a vederne una. Si avvicinò al muro, con passo felpato e con le mani allacciate dietro la schiena. La lucertola era nascosta dalla grondaia, solo la coda rimaneva al sole. Pietro non guardava Luigi, rimaneva piegato, gli occhi al punto esatto dove il muro sprofondava nel terreno. Con un bastoncino batteva tra erba e terra sperando di farne risalire qualcuna lungo il muro. Fu il rumore delle mani di Luigi che picchiavano contro la grondaia a fargli vedere la lucertola. Si dimenava frenetica, raschiò la parete e scese giù fino all'erba.

"L'ho presa! L'ho presa!" urlò.

Pietro schizzò in piedi e gli fu subito a fianco. "Fammi vedere!"

Luigi la chiuse tra i palmi. Poi lo guardò: "È grandissima!".

Pietro gli afferrò le mani. "Ce l'ho fatta andare io lassù, col bastone!"

"C'era già nascosta là dietro... è grandissima!" disse Luigi saltellando con le mani strette.

Pietro lo rincorse e insieme si accovacciarono davanti all'asse di legno.

"Te la tengo ferma..." disse Pietro mentre gli offriva il coltello.

Luigi gli sorrise, gli passò la lucertola e poi aprì la lama. Pietro stese il rettile sul legno, lo schiacciò appena. "Vai! Taglia!"

La lama attraversò quel triangolo di carne.

"È grossa!"

"È di tutti e due!" fece Luigi.

Pietro lasciò fuggire la lucertola tra l'erba. Quando alzò gli occhi vide la coda che dondolava tra le dita di Luigi. "Prendila, è anche tua..." si sentì dire.

La prese e si accorse davvero di quanto fosse grossa solo dopo averla toccata e misurata. Era lunga quanto il suo dito mignolo. L'appoggiò sull'asse di legno, poi guardò Luigi che puliva il coltello contro l'erba secca. Guardò il muro bianco, e ne vide un'altra. Era come una pietra scura al sole, nella parte alta della parete.

Pietro scattò in avanti e corse come un fulmine, sfiorando Luigi. Afferrò il bastoncino da terra, si alzò in punta di piedi e quando le fu di fronte la toccò con un colpo secco.

La lucertola non fece in tempo a cadere, perché lui la fermò a mezz'aria.

"Bravo!" gridò Luigi da dietro.

Pietro arrivò all'asse e la stese sul legno, proprio a fianco dell'altra coda.

"Se vuoi la tengo fer..." Luigi non finì la frase. La lucertola era già nell'erba. La coda tra le mani di Pietro che la fissava, felice.

Mentre correvano, Luigi davanti e lui dietro, Pietro controllava il sole. Stava molto attento che non scendesse troppo, perché glielo aveva detto Nino: quando il sole è basso e c'è poca luce vuol dire che è tardi.

Dove stavano andando adesso non era lontano, sarebbero tornati in tempo per la cena. Era alla fine del bosco rado, dove gli alberi sono più grossi e dove l'erba non esiste più. C'è solo il terreno di polvere, lì, e l'ombra più spessa e nera di tutto il giardino.

Pietro si portò via un po' di sudore dalla fronte e rallentò appena, giusto il tempo di annusarsi sotto il braccio.

Da laggiù a Luigi mancava solo la coda. Quando Pietro lo vide arrampicarsi senza fatica e senza paura rimase a bocca spalancata. E con gli occhi alzati là dove cominciavano le foglie, si chiedeva e si richiedeva: e se Luigi è davvero un bambino-lucertola?

Si portò la mano alla fronte per fermare la luce che lo accecava. Guardò meglio: Luigi sembrava incollato al legno scuro. Le gambe, le braccia, tutto il corpo si accorciavano e si allungavano come una molla. Un momento era immobile e sospeso a respirare, un altro era già più in alto che lo fissava e sorrideva.

Mancava poco. Pietro mandò giù la saliva. Ancora due passi sulla corteccia e Luigi avrebbe afferrato il ramo, poi sarebbe toccato a lui.

Si chinò, tastò la scarpa e i lacci sciolti. Cercò di legarli, con lo sguardo sempre fisso sull'albero. Abbassò gli occhi solo per stringere il fiocco e per bloccarlo sotto la linguetta di pelle bianca. In quell'istante si sentì chiamare dall'alto.

"Dai, vieni su! Dai!" Luigi era già arrivato.

Pietro deglutì ancora, poi si alzò in piedi e si infilò la maglietta delle Olimpiadi dentro i pantaloni.

Si avvicinò all'albero. Era proprio alto, con il tronco un po' storto. Il legno nero, quasi carbone. Il verde della cima era rado e l'azzurro del cielo lo bucava.

Pietro schiacciò la scarpa destra sulla corteccia venata e sentì la gomma della suola fissarsi al legno.

Studiò il grande albero. A metà tronco c'era il buco dove riposarsi un po'. Dopo era più facile, perché nella parte alta cominciavano i piccoli rami dove ci si poteva aggrappare.

Riuscì a infilare quattro dita in una spaccatura della corteccia. Appoggiò l'altra mano e premette fortissimo, perché in quel punto era tutto troppo liscio.

Trattenne il fiato, chiuse gli occhi. E cominciò a salire.

Si fermò subito, ondeggiando con tutto il peso sull'unico piede saldo alla corteccia. Cercò un posto per il piede libero e quando l'ebbe trovato incastrò la punta della scarpa in una stretta fessura, là dove il legno era marcio.

Ripartì e avanzò di poco, ogni muscolo che tremava. La corteccia sembrava liscia e tutta uguale, senza più appigli. Pietro restò così, sospeso a metà. Accostò la guancia al legno fresco. E sentì, per un attimo, il cuore del grande albero.

Poi le sue mani grattarono via poche schegge leggere, le dita strinsero il vuoto, le gambe tagliarono l'aria: si ritrovò per terra. Rimase qualche secondo così, com'era caduto. La faccia contro le crepe secche del terreno.

C'erano alcuni fili d'erba bruciati davanti a lui. C'erano una fetta di cielo blu e il suono delle cicale. C'era il respiro che sapeva di polvere.

La testa ronzava. Tutto il corpo era un dolore. Il sedere era acciaccato. E anche la schiena.

Si tirò su, pulendosi col dorso della mano la guancia sporca. Si guardò la terra secca appiccicata sui vestiti e sulle braccia.

Aveva un graffio sul polso, il sangue colava lento fino alla mano.

"Pietro!" La voce non arrivava più dall'alto. Adesso Luigi era accovacciato accanto a lui e gli teneva il braccio.

"La prossima volta provi tu a salire per primo."

Pietro non rispose, l'indice a pochi centimetri dal graffio.

"Ti fa tanto male?" disse Luigi a bassa voce, e subito dopo vide che il braccio era bagnato, ma non di sangue solo. Dagli occhi semichiusi di Pietro due riga-gnoli scendevano sulle guance, sulla ferita, sulla terra.

Alzò la testa. Luigi lo guardava e lui iniziò a sin-ghiozzare, sempre più forte, la schiena che sussultava per il lungo pianto all'ombra del grande albero.

Luigi fece una smorfia. Gli mise una mano sulla testa e lo accarezzò piano.

"Ora andiamo a casa e ci mettiamo sopra l'alcol. All'inizio brucia un poco, ma guarisce subito."

Pietro tirò su con il naso.

"Però smetti di piangere."

Pietro si asciugò gli occhi e il naso. Rimase sedu-to, rannicchiato, con Luigi al suo fianco che lo fissava. Allungò le gambe, poi le ripiegò come facevano gli in-diani nei film.

Si asciugò per l'ultima volta gli occhi.

"Fra due o tre giorni la crosta ricresce," disse Luigi.

Pietro lo guardò: "Tra due giorni io vado da Car-mine".

Luigi rimase un po' in silenzio. Poi, girandosi ver-so di lui, chiese: "Tra due giorni?".

"Sì."

Questa volta fu Luigi a non parlare. Si mise una mano sulla bocca, l'altra in tasca. Prese un fazzoletto stropicciato e glielo offrì.

"Mio padre mi ha detto che lo devi dire a tuo papà," aggiunse Pietro strofinandosi gli occhi sul pez-zetto di carta.

"Allora glielo dico."

Raccolsero l'asse di legno, il coltello, le due picco-le code dai piedi dell'albero. Il sangue della ferita si era raggrumato.

Luigi si bagnò le dita e ripulì il taglio tutt'intorno.

"Brucia?"

Ora la luce del sole era più debole. Si era abbassata

un po' e aveva allungato l'ombra del grande albero fino ai tronchi più sottili. Il terreno, le foglie, tutto sembrava più luminoso. Anche il cielo, più blu, e la polvere, quasi rossa. Come se ogni cosa avesse assorbito il giorno e lo stesse rilasciando poco a poco.

"Brucia?" ripeté Luigi.

"È tardi, il sole scende," fece Pietro, afferrando per un braccio Luigi.

Iniziarono a correre, uno dietro l'altro, fino all'inizio del bosco rado. Poi, di scatto, Pietro rallentò. Dalla piccola casa, oltre le siepi, vide suo padre. Inchiodò e per poco Luigi non gli finì addosso.

Era là. In piedi, fermo a fumare, davanti alle scalinate che salivano al portone di ingresso. Gli zampilli della fontana ne confondevano la figura. Il panciotto nero e corto stringeva la camicia bianca. Una mano alla bocca, l'altra nascosta nella tasca dei pantaloni scuri.

Ripresero a camminare, stavolta senza correre.

Luigi non fece caso ai pugni stretti di Pietro. Erano così chiusi che l'unghia dell'indice segnava il palmo della mano.

Si guardarono negli occhi e andarono ad accucciarsi dietro le siepi di fiori bianchi che dividevano l'aia dal resto del giardino. Contarono fino a cinque e scattarono al muro bianco. Girarono l'angolo della piccola casa e sul retro lo trovarono, il telo di plastica che Nino stendeva sui gerani per proteggerli dalla grandine e dalla pioggia.

"Mettiamole qui."

"Qui sono al sicuro," disse Pietro nascondendo là sotto l'asse di legno e le code.

Ripartirono in direzione della fontana. E stavolta lui si accorse di loro.

Dalla catena d'argento pendeva l'orologio. Suo padre lo teneva tra le dita sottili, facendolo rigirare.

Pietro ascoltò il suo cuore che pompava impazzito. Girò attorno alla fontana, gli occhi in fondo al giardino, dove la stradina di ghiaia finiva e c'erano gli uomini del cancello, con i loro cappelli, con le loro camicie tutte uguali e piene di stemmi. Si voltò verso suo padre e lo vide lanciare la sigaretta tra la ghiaia smossa.

La voce di Luigi, inaspettata, fu la prima.

"Buonasera, signore."

"Ciao, Luigi. Come andiamo?" Fece un passo in avanti. Gli mise la mano sulla testa e lo accarezzò.

"Bene, grazie."

"Come stanno i tuoi genitori?"

"Stanno bene, grazie."

Pietro rimase di fronte a loro.

"Tuo padre è sempre tra le sue torte?"

"Sì." Aspettò qualche secondo. E continuò: "Però adesso le fa per noi e basta. Il negozio non vendeva bene, l'ha dovuto chiudere".

"Ah, già. Le fa ancora così buone? È tanto che non mangio un cannolo come Cristo comanda!"

Luigi annuì, abbassando di poco la testa.

"Portaci i miei saluti e di' loro che hanno un bravo figliolo, che è anche un ottimo studente. Le so certe cose, io!" Rise, prendendo la guancia del bambino tra il pollice e l'indice.

Luigi fece un piccolo passo indietro.

Pietro restò fermo, poco distante, incantato dalle scarpe lucide di suo padre. Fissò il terreno ghiaioso e quei mocassini che, all'improvviso, si mossero come serpenti pericolosi. Li vide avvicinarsi. Lenti e precisi. Il luccichio del cuoio scuro rifletteva l'ultima luce di quel sole che se ne stava andando. I serpenti si fermarono, di nuovo. Ora, gli erano di fronte.

"È tornato Nino?"

Pietro sollevò la testa di scatto. Osservò quel viso pallido e grinzoso, i baffi neri appena accennati. Si fermò al naso schiacciato.

"Non c'è."

Solo adesso decise di guardarli, azzurri e sottili. Lunghi e stretti. Occhi che tagliavano. Diventavano piccoli e poi grandi. Potevano essere come biglie o aprirsi come tutta la faccia. Sembravano quelli del mostro che trasforma le persone in pietra con un solo sguardo.

Sentì improvvisamente sulla guancia, sul collo, la mano di suo padre che lo lisciava. E ancora sul collo, sulla spalla. La sentì arrivare sul braccio e afferrargli il polso, sollevandolo appena. Il taglio si era seccato.

Suo padre lasciò cadere il braccio e si allontanò verso la piccola casa bianca.

Pietro guardò Luigi. Poi si voltò indietro e lo vide di schiena. Era già via, oltre la fontana.

Lo conosceva bene. Avrebbe aspettato davanti alla porta di Nino per molto. Avrebbe aspettato anche tutta la sera.

Mamma è gentile con me. Oggi mi ha cambiato la maglia e mi ha messo l'alcol che non brucia sul braccio e la carta gialla bagnata che fa guarire la ferita quasi subito. Un pochino ha bruciato lo stesso ma io sono stato zitto e mamma mi ha detto che sono un bambino coraggioso. Poi quando anche lei si è cambiata la maglia io ho visto tutte le macchie nere che erano sulla sua schiena e sulla pancia. Quando le ho viste mi veniva da piangere ma non ho pianto per niente. L'ho abbracciata piano piano e ho detto: "Ti voglio bene". Non l'ho stretta forte perché le macchie fanno molto male e bisogna essere leggeri. Certe volte papà le fa venire anche a me. Gesù, prima sono nere, poi gialle e poi viola e rimangono per un sacco di tempo.

Poi ho ascoltato quando papà è tornato a casa e c'era anche Nino. Io lo sentivo dal corridoio e da dietro la porta. Era arrabbiato e urlava fortissimo. Era cattivo.

Gesù, il giorno non mi piace per niente, la notte invece mi piace molto. Di notte non ci sono gli urli e non c'è il sole che devo guardare sempre.

Tutti dormono di notte. Mamma, Nino, Luigi dormono. Anche Carmine dorme, anche le lucertole vicino al muro dormono. Invece restiamo svegli io e te, Gesù Bambino, tu non puoi dormire perché devi proteggere me e tutti i bambini e io non dormo perché mi dispiace che sei solo.

Neanche gli uomini del cancello dormono. Loro devono stare svegli per guardare e a volte si riposano e fumano dentro le loro macchine verdi.

Fa' che mamma non sta più male. E fa' che papà è buono con lei e con Nino.

Fa' che è così, Gesù Bambino.

5.

"E che potevo fare? Le ho buttate. Erano diventate scure e puzzavano. Si capisce, è carne viva..." disse Nino mentre stavano rientrando.

Quella mattina, quando Pietro aveva sollevato il telo di plastica, le code erano scomparse.

"Siediti che prepariamo le medicine, così le piante non si prendono le malattie," aggiunse Nino rovistando nel ripostiglio sotto il lavello della cucina. Si era inginocchiato e la sua testa era scomparsa dentro l'armadietto dalle ante laccate. Si alzò che le mani traboccavano di bottiglie colorate e di contenitori di tutte le misure. Li appoggiò sulla tavola, davanti a Pietro. Poi con un sorriso disse: "Non gli piaccio. Tutto qui. Non ce li hai compagni di scuola antipatici tu?".

Pietro arricciò le sopracciglia, incrociando le gambe sotto la sedia di paglia mezzo bucata.

Nino immerse il lunghissimo bicchiere nel contenitore al centro del tavolo. Lo sollevò subito pieno, con l'acqua blu che traboccava fino all'orlo. Gli sgocciolava dalle dita tozze e callose. Ne rovesciò una parte, fin quando il liquido nel vetro si fermò al punto segnato dall'unghia nera del pollice. Fece lo stesso con l'acqua verde. Poi con quella azzurra.

"L'acqua verde è nuova. Serve per le foglie."

Pietro si avvicinò. I tre bicchieri lunghi e sottili erano là, dove una fitta distesa di gocce colorate sporcava il legno chiaro del tavolo.

Nino rovesciò il primo colore nel vaso vuoto a fianco del frigorifero. Dalla finestra il sole entrò per un attimo nell'acqua blu che cadeva, e Pietro la vide brillare. Il liquido gorgogliò contro la plastica del secchio schiumando appena.

Infilò gli occhi nel contenitore. Le bollicine scoppiavano una dietro l'altra. L'odore secco e pungente che saliva gli entrò in bocca e lo spinse via.

Nino lo scansò, versando l'azzurro tutto d'un fiato. Poi con i due bicchieri vuoti andò al lavello.

Sul tavolo era rimasto solo il bicchiere rosso scuro. Fu un attimo. Pietro l'afferrò con tutte e due le mani. Lo strinse, il vetro bagnato che gli strideva tra le dita. Ritornò al vaso. Si alzò in punta di piedi per far cadere l'acqua dal punto più alto. Teneva il bicchiere sopra la testa, le braccia tese, e quando lo rovesciò vide quel mare colorato che gli passava davanti agli occhi.

L'acqua scrosciò violenta nel secchio.

Sorrise. Aveva fatto la cascata rosso scuro più grande del mondo.

"Adesso mescola," disse Nino passandosi il sapone tra le dita. Le sue mani corte erano tutte di schiuma. Si muovevano maldestre. Erano mani cosparse di rughe, di calli. Mani ruvide che grattavano qualsiasi cosa toccassero. Le sciacquò una volta sola e riprese a insaponarle, voltandosi verso Pietro. Le dita entravano tra le dita, i palmi si aprivano e chiudevano, segnati da solchi spessi che il sapone riempiva e imbiancava. Una mano si staccò dall'altra e afferrò il raschino appeso vicino al mestolo. Nino se lo passava sulla pelle fischiettando un ritmo allegro. Qualche schizzo gocciolava a terra e subito spariva, risucchiato dai buchi delle mattonelle.

Pietro si guardò in giro. A fianco del lavello c'era il cucchiaio di legno. Lo andò a prendere e lo girò e rigirò nell'acqua torbida del secchio. Il suo braccio si agitava forte. Girava furioso come l'acqua mossa che si attaccava alle pareti cercando di uscire.

"Ci hai sentiti ieri sera, vero?" disse Nino.

Pietro alzò il cucchiaio. "Ti ha urlato," rispose fissando il gorgo nel secchio.

"Lo conosci tuo padre, sai come è fatto. Per lui urlare è come parlare."

Ora l'acqua era più lenta. Trasportava polvere e terriccio e li risucchiava e li faceva emergere subito dopo. Era un'acqua di cerchi piccoli e poi grandi, che come onde si spostavano dal centro fino a morire contro le pareti del secchio.

Nino si scrollò le mani e le asciugò sulla tuta verde.

"È meglio che per un po' non vieni più qui. Parliamo fuori. In giardino si sta meglio."

Pietro s'incantò su uno di quei cerchi. Era nero, camminava a pelo d'acqua. Era debole e stanco, ancora più debole. Si muoveva piano, diventava pesante e largo. Scomparve e assieme a lui tutto, nel secchio, non si mosse più.

Pietro lasciò andare il cucchiaio.

"Se parliamo fuori lui se ne accorge di meno."

Pietro si rizzò in piedi, gli occhi incollati al mazzo di fiori secchi da matrimonio. Lo fissò a lungo, poi indietreggiò, colpendo la sedia con le gambe. Per non cadere si aggrappò al tavolo, un bicchiere rotolò e finì a terra in mille pezzi. Si voltò e andò alla porta, uscì sbattendola.

Nino lo guardò filar via. Vide quella schiena sottile scomparire oltre le siepi. Allora rientrò in casa e si chinò accanto al frigorifero. Allungò le braccia sotto la sedia bucata. Tirò fuori prima l'asse di legno, poi il barattolo vuoto. Il coltello mancava.

Afferrò le cose e le incastrò tra il braccio e il fianco sinistro. E uscì, sperando di trovarlo dove altre volte l'aveva cercato.

Verde, bianco, verde. Prima l'erba, poi i sassi, di nuovo erba. E la fontana, le grandi scalinate, la stalla. C'erano i passi, i fruscii, le voci dei domestici, il canto delle cicale.

C'era quella cosa, dentro.

Con le gambe impazzite, Pietro sentiva l'aria sbattere contro la faccia, alzargli il colletto della camicia, infilarsi tra i capelli.

Gli pareva che il petto stesse per scoppiare. E più ascoltava pulsare il suo cuore, più voleva che esplodesse davvero. Così avrebbe ucciso quel pianto che cercava di uscire e che serrava dentro.

Corse e rallentò di fronte a un muro bianco e mosso. Ondeggiava al vento, si rimpiccioliva e poi diventava grande di nuovo. Si faceva stretto e poi largo, ripiegandosi su se stesso.

Respirò a fondo. Prese la rincorsa e lo bucò, stordito dal profumo e il morbido. Lo sollevò e lo fece volare. Il fresco lo toccò e gli restò addosso, sul viso, sulle braccia, poi diventò aria. Prima di andarsene, Pietro ci girò intorno per due volte e come in un'arena, quando il toro carica la coperta rossa, lo incornò. Lo oltrepassò facendolo girare intorno al filo dove era appeso. Subito dopo lo raggiunse una voce: "Signorino, i lenzuoli!" gridò la nuova domestica. Ma lui era già lontano, dietro casa, davanti al vecchio garage.

Non c'erano porte. Era una grande stanza altissima, chiusa su tre lati e aperta su uno.

Pietro avanzò, strisciando la fronte contro la manica della camicia. Sentì il sudore asciugarsi nel cotone. Il vento leggero fece il resto, si infilò nei vestiti e si appoggiò sulla pelle bagnata per lo sforzo.

Si avvicinò all'ombra con la ghiaia che gli scricchiolava sotto i piedi. Quei sassi erano dappertutto, come un lago bianco che si infrangeva sull'erba e poi si ritirava e tornava a sbattere contro le mattonelle rosse mal livellate del marciapiede.

La riga d'ombra, netta e precisa, gli solcò prima la fronte, poi la testa, infine la schiena.

Entrò.

Era un luogo isolato in cui pochi andavano. Qualche domestico ogni tanto, a pulire e a controllare. Ma c'era ordine. Solo una cassetta da frutta in un angolo, riempita di contenitori di latta sporchi d'olio, degli stracci e qualche chiave da meccanico. La luce illuminava i muri di pietra ruvida e il soffitto di ragnatele e travi scure. Illuminava il telo nero, gonfio, al centro della stanza.

Si avvicinò al telo. Ci girò intorno. Lo toccò e la polvere gli restò sulle dita. Lo afferrò tra le mani. Ci si aggrappò come per strapparlo e lo tirò a sé con tutta la forza che aveva. Il telo si mosse solo di poco.

Trattenne il fiato e strinse ancora. Poi iniziò a indietreggiare. Passo dopo passo, vedeva nascere un po' di luce nella stanza. Era una luce magica, non era il sole. E succedeva ogni volta che toglieva il nero della coperta e faceva vivere il bianco della lamiera. Pietro socchiuse gli occhi per l'ultimo sforzo. Il telo accarezzò il parabrezza e poi scivolò molle di lato.

Adesso, al centro della stanza c'era lei. Lei, la Bianca. Il pezzo di ferro più bello che si potesse immaginare. Ferro bianco e cromato.

Pietro la sfiorò con una mano. Toccò la lamiera

fresca e liscia. Fece scorrere le dita sulla portiera fino ai fanali e sulle frecce gialle. Poi appoggiò anche l'altra mano e la accarezzò tutta, girandole intorno. Si fermò sul cofano e lì schiacciò i palmi: così la sentì.

Esplorò ogni tipo di curva, foro, solco.

Toccò il vetro del finestrino, poi la leva cromata subito sotto. La fece scattare. La portiera si aprì. Pietro la spalancò e con un balzo si infilò dentro.

Sprofondò nel sedile. La Bianca era tutta sua.

Il volante nero, i tre bottoni colorati, la leva del cambio. Lo stavano aspettando. Perché lui solo sapeva come muoverli e accenderli. Lui solo conosceva ogni modo per fare brillare tutte le spie insieme o una per volta. Era bravissimo a fare andare su e giù i tergicristalli o a curvare tenendo d'occhio la velocità e il livello della benzina.

Restò in quella posizione senza muovere neanche un muscolo, ascoltando solo il sedile che cedeva per il suo peso.

Richiuse lo sportello. In quel momento c'era lui e basta. L'unico pilota dell'automobile che tutti invidiavano a suo padre.

Gli piaceva che non avesse il tetto. Che potesse portare tre persone al massimo e che quando correva facesse vibrare il sedere. E poi il colore, bianco.

Pietro si sistemò meglio. La schiena completamente adagiata, dritta e innaturale. Le gambe tese, a sfiorare i tre pedali che a malapena riusciva a vedere. E le due mani, aggrappate al volante.

Era pronto. Levò dalla tasca dei pantaloni il coltello che gli premeva contro la gamba, lo appoggiò sul sedile a fianco e si arrotolò le maniche della camicia. Chiuse gli occhi per un attimo e vide la luce rossa sul cruscotto accendersi e poi il rombo assordante del motore invase la stanza, salendo per le pareti.

Strinse la leva del cambio e mise la prima. Schiacciò a turno i tre pedali, lasciando il piede sull'ultimo di destra.

La luce del sole iniziava ad avvicinarsi mentre l'ombra del garage rimaneva indietro, intrappolata sotto il tetto di legno scuro.

Pietro appiccicò gli occhi al parabrezza pulito. Ruotò il volante a destra e a sinistra. Sulla plancia tutte le luci si accesero e finalmente la Bianca prese velocità. Le ruote con i cerchi d'argento passarono sopra il telo nero e la Bianca uscì scricchiolando sulla ghiaia. Accelerò. Ora vedeva gli alberi sfilare ai lati. Il vento gli passava tra i capelli e sulla fronte. Tornò davanti ai lenzuoli stesi. Suonò il clacson alla domestica e la fece spaventare. Passò davanti alla stalla evitando il pozzo e le siepi solo all'ultimo. Vicino alla fontana rallentò. Ci girò attorno due volte, acclamato da una folla che lo salutava dalle scalinate d'entrata. Tutti lo acclamavano. Sua madre per prima. Agitava le mani e sorrideva. Anche lui rideva e le lanciava un bacio dietro l'altro.

Doveva fare in fretta. Mancava ancora una tappa, la piccola casa. Ingranò la marcia, premette sull'acceleratore e spinse il motore al massimo.

Schiacciò il freno solo quando fu davanti al muro bianco. Suonò per due volte e aspettò.

Nino uscì e gli fece cenno di avere pazienza. Scomparve e tornò fuori quasi subito col barattolo pieno di code in una mano e il giubbotto della domenica nell'altra. Pietro gli aprì lo sportello e lui salì in macchina. Si sorrisero ma non si dissero niente.

Accelerò così forte che la schiena del vecchio rimase incollata al sedile. Inclinò il volante a sinistra e la Bianca si immise sgommando nella stradina che conduceva all'uscita del giardino.

Pietro rallentò di poco. Divenne serio, appoggiò

un braccio alla portiera e l'altro al volante. Strizzò l'occhio a Nino e Nino si mise il giubbotto, allacciandolo fino al mento.

Quando fu di fronte agli uomini del cancello, staccò i piedi dai pedali.

Il cancello era già aperto. Lo oltrepassò lento lento e li guardò. Loro fecero lo stesso. Erano in quattro. Rimasero incantati, togliendosi i cappelli per lo stupore. Fecero qualche passo indietro, avvicinandosi alle loro due macchine spente. Pietro li salutò, come faceva sempre sua mamma quando usciva di casa. Loro rimasero a bocca aperta davanti alla Bianca, alla sua carrozzeria lucente, alle sue marmitte scoppiettanti che lanciavano quasi fuoco. Poi ricambiarono il saluto.

Pietro ripartì, sollevando una nuvola di polvere che salì in cielo. E quando guardò nello specchietto laterale li vide che lo stavano ancora salutando. Ormai erano diventati amici, ne era sicuro.

Il vecchio gli fece un cenno di approvazione.

Ora mancava solo Luigi. Stavano andando a prenderlo e poi insieme avrebbero fatto un altro viaggio, ancora più lontano.

Improvvisamente sentì bussare sul finestrino e la Bianca si spense. Non c'era più vento. Non c'era più nessuno a salutarlo. Non c'erano più strada, alberi, cancelli e persone. Non c'era più Nino con il suo giubbotto della domenica.

"Le avevi lasciate da me," disse Nino mostrandogli il barattolo e l'asse di legno. "Manca il coltello: quello non l'ho trovato."

Ora la Bianca era diventata fredda. Si era addormentata, come le mani di Pietro. Erano gelide, se le strofinò con forza e se le mise sotto il sedere. Con lo sguardo indicò il coltello sul sedile a fianco.

"Ce l'hai tu. Lo sapevo." Nino girò intorno alla Bianca e andò all'altra portiera. Fece scattare la maniglia e mentre saliva tutto l'abitacolo vibrò.

"Dobbiamo ubbidirgli a tuo padre." Il braccio tozzo, appena scoperto, appoggiato sulla portiera. L'altro, tra le gambe.

Si lisciò la barba e continuò: "Dobbiamo ubbidirgli".

"Non mi importa! Io a casa tua ci voglio venire!"

"A me sì. Mi ha detto che se ci vede che parliamo mi manda via!"

"Non ci credo!" protestò Pietro girandosi verso di lui.

"E invece è vero." Nino diventò più calmo. "Lo so come è fatto tuo padre: non gli sono simpatici quelli che parlano molto, ancora meno quelli che non lo ascoltano."

Pietro fece scattare la lama del coltello, poi la richiuse.

Nino gli mise una mano sulla testa, strofinandola sui suoi capelli.

"Davvero non posso più entrare da te?"

"Ci troviamo fuori, mentre lavoro. E quando lui non ci vede, magari entri un po'."

Pietro si voltò verso Nino e sorrise. E anche Nino fece lo stesso.

Lasciò il coltello al vecchio, allungò le gambe sui pedali e ricominciò a guidare. Premette ogni pulsante, tirò il freno a mano e urlò: "Attenzione alla curva!". Poi inclinò il volante a destra e a sinistra. Lo fece per molte volte, fino a quando Nino disse: "Portami al mare!".

Lui, il pilota della Bianca, non se lo fece ripetere due volte. Le sue mani erano impazzite, passavano dal volante al cambio e ancora al volante. "Agli ordini, signore!" gridò.

"Vai, Pietro! Più veloce! Più veloce!" diceva Nino agitando i pugni in aria e sobbalzando col sedere sul sedile.

"Ora andiamo alla velocità della luce! Tieniti forte!" Pietro abbassò una leva vicino allo specchietto. Nino si attaccò con le mani al cruscotto e non lo lasciò più. "Siamo velocissimi!" La Bianca era un fulmine e in un secondo potevano arrivare dappertutto, in qualsiasi posto del mondo.

"Più forte! Più forte!" lo incitava Nino.

"Andiamo da Luigi?"

"Non c'è bisogno!" rispose il vecchio stropicciandosi gli occhi. "Luigi è già al mare che ci aspetta!"

I sedili non avevano mai scricchiolato tanto. La Bianca vibrava e ondeggiava, era la regina della strada e anche di più.

"Al mare! Al mare!" canticchiava il giardiniere agitando le mani sopra il parabrezza.

Fuori, il sole si era abbassato mangiando a morsi l'ombra nel garage.

Nino strinse il coltello e guardò avanti, gli occhi persi nel vuoto. Il padrone lo aveva avvertito. Era stato chiaro, non dovevano più stare insieme. Ma c'erano ancora tanti luoghi dove lui e Pietro sarebbero andati con la Bianca. Bastava stare attenti.

"Bravo! Gran bel viaggio!"

"Sì, io guido bene."

Il vecchio si adagiò allo schienale. Se ne restò con lo sguardo fisso al cruscotto di legno. Poi si voltò verso Pietro, lisciandosi la barba fino alla punta del mento: "Luigi lo sa che ci devi tornare da Carmine?".

Per un attimo Pietro non volle ascoltare. Guardò Nino. Incontrò i suoi occhi chiari e venati. Poi annuì e parlando piano anticipò la domanda: "Non mi ha dato ancora niente papà".

"Non ti ha dato ancora niente?" chiese Nino.

Pietro alzò le spalle. "No."

"Allora vorrà dire che ti darà qualcosa stasera."

I rumori erano scomparsi nel vecchio garage.

Anche i sedili di cuoio non scricchiolavano più.

Pietro e Nino rimasero a osservare il sole contro la ghiaia bianca, oltre il parabrezza.

"Se mi capita una macchina come questa fra le mani ce ne andiamo in giro sempre io e te!" disse Nino con uno sforzo che gli rovinava il sorriso.

Pietro giocherellò con il suo coltello, lo lanciava e lo riprendeva al volo. "Se mi capita a me io vado subito al mare."

"Ma al mare ci siamo appena stati! Magari in montagna, al vulcano!" esclamò Nino.

"Allora andiamo al vulcano!" Pietro lasciò cadere il coltello e riafferrò in mano il volante, pronto a partire.

La Bianca si svegliò. E ruggì di nuovo.

Nino si mise comodo per il viaggio incrociando le braccia e allungando le gambe fino in fondo, gli occhi socchiusi e un po' umidi.

"Al vulcano! Al monte, al monte!" gridava Pietro.

La Bianca dovette affrontare un paio di curve prima di fare sentire tutta la sua potenza. Poi li portò tra alberi e rocce, dove il vento soffia in tutte le direzioni ed è fortissimo. Li portò su strade strette e in salita, dove la neve non si scioglie mai, neanche in estate. Il vulcano era vicino, ancora qualche strada deserta di montagna.

Poi entrambi capirono che non ci sarebbero state più immagini. All'improvviso scomparvero rocce, alberi e strade. Non videro più nessun monte e vulcano. Di nessun genere.

D'un tratto venne loro incontro una macchia piccola e scura. La macchia aveva i capelli neri che le coprivano il viso e il vestito dello stesso colore, lungo e leggero, oltre le ginocchia.

Pietro lasciò scivolare le mani dal volante.

All'inizio del garage la macchia si fermò per respirare. Camminava lenta, con le mani sulla gola. Arrivò davanti alla Bianca, di fronte a loro. Prese fiato, le guance toccate da un leggero rossore. Disse: "Tuo padre... tuo padre ti vuole parlare".

Pietro guardò sua madre e i suoi grandi occhi verdi. "Immediatamente. Ti vuole parlare immediatamente!"

Nino scese dalla Bianca.

Pietro afferrò il coltello, tirò la maniglia della portiera e scattò fuori. Prese la mano liscia e magra che sua madre gli porgeva e non la lasciò più, il suo indice premeva sul grande anello giallo. E se ne andò così, verso il sole, legato a quel palmo e a quelle dita sottili che lo stavano accompagnando dove non voleva.

Udì alle sue spalle il *cloc* della portiera. Girò la testa per quanto poté. Lontano vide il grigiore della barba e il verde della tuta. Vide una mano appoggiata allo sportello, l'altra che a fatica reggeva l'asse di legno e il barattolo.

Poi si girò di nuovo.

La sentì dentro. La cosa stava mordendo.

"È il segreto mio e tuo," ha detto oggi papà. "Niente a mamma e niente a Nino, capito? Ricordati bene, la strada la conosci già," ha detto. "Bussi ed entri solo tu, tu solo." Però io ho paura e da solo non ci voglio andare.

Mamma e Nino a volte lo sanno questo segreto, ma io questa volta non glielo dico perché sennò loro diventano tristi e se papà lo sa s'arrabbia moltissimo.

Io non lo dico a papà che Carmine è cattivo. Se glie-

lo dico forse papà non lo vuole più e così non ha più amici e io non voglio.

Poi papà ha anche detto: "Stasera la signorina la guardiamo solo io e te". La mamma lui non la vuole più con noi perché quando ci sono le immagini che fanno paura lei mi dice: "Pietro, girati dall'altra parte". Invece lui vuole che guardo tutto perché così divento grande. Io ho paura e voglio che mamma è lì con me.

Fa' che domani Carmine finisce presto, Gesù Bambino, e fa' che non sbaglio. Così papà è felice e mi fa parlare con Nino anche dentro casa sua.
Ti prego, fa' che non sbaglio per niente.

6.

La poltrona era di pelle liscia, come quella della Bianca. Al suo fianco, la sedia gialla con i fiori disegnati era vuota. Ogni tanto allungava il braccio e cercava di toccarla con le dita. Sfiorava lo schienale e con la mano scendeva giù fino a stringere le gambe di ferro, come faceva sua madre quando era seduta.

"Non ti distrarre! Quello è il Parlamento, il posto dove fanno le leggi, si trova a Roma. Ripeti: il Parlamento."

"Il Parlamento."

"Se studi ci vai anche tu, così poi fai le leggi."

"Roma è lontana?"

"Un poco," rispose suo padre buttando fuori il fumo. "Un giorno, a te e a tua madre vi ci porto."

Pietro annuì, ma tanto prima del Parlamento sarebbe andato al mare e poi sul monte, con Nino e Luigi. E poi a Roma, insieme tutti e tre sulla Bianca, e lui sarebbe stato l'unico pilota.

Pietro si accorse che stava scivolando sullo schienale. I braccioli, alti e spessi, lo chiudevano come in una morsa. Il fumo continuava a entrargli dentro i polmoni, in gola, nel naso. Si raddrizzò, senza mai smettere di guardare avanti, gli occhi fissi sullo schermo.

"Guarda! Quello che si agita sulla poltrona rossa è

il capo. È lui a decidere. Si vede, guarda che faccia ha. Guarda! Le riconosci le facce dei ladri?"

Pietro annuì di nuovo. Veramente non sapeva come erano fatti i ladri. Provava ogni tanto a immaginarseli. Altissimi, con gli occhi che si vedevano a malapena. Si vestivano di scuro ed erano velocissimi. E se venivano scoperti potevano anche uccidere. Quello là non gli sembrava davvero un ladro.

"E guarda quello, quello a destra. Quello l'ho conosciuto tre anni fa. Abbiamo mangiato insieme a Roma al ristorante. Ancora me lo ricordo: l'ho portato nel migliore dei ristoranti, ma a cucinare è molto meglio Aderita, te lo dico io!"

"È tuo amico?"

"No! Non ce li ho amici come quelli, io," sbuffò suo padre schiacciando il mozzicone della sigaretta nel portacenere.

Pietro si voltò. L'orologio d'argento gli brillava nella mano, rifletteva la luce che pulsava davanti a loro. Un bagliore che andava e veniva. Che mostrava i sottili sorrisi di suo padre, confusi dai baffi appena accennati. La sua bocca allegra e poi tesa. Contorta.

Lo osservò alzarsi di scatto e camminare fino al centro della stanza, aggirando il tavolo e passando di fronte al caminetto. Lo vide fermarsi e piegarsi appena, proprio mentre la signorina della televisione ricominciava a parlare. Poi alzò il volume e ritornò a sedere.

Sullo schermo le immagini passarono veloci e finirono presto. La signorina riapparve. Pietro la conosceva, la vedeva sempre. Era bella, si vestiva molto elegante, e aveva una voce gentile. Qualche volta, di nascosto, le aveva sorriso, e lei aveva ricambiato.

Quella sera, però, non successe. Quella sera era

già molto difficile tenere gli occhi aperti perché le palpebre pesavano il doppio del normale. Più Pietro si sforzava di stare attento e più il collo si piegava dolce contro il bracciolo di pelle fresca.

"Ladri." Quella parola a mezza voce fu l'ultima che udì. Dopo, più niente. Fu un attimo, e anche la signorina non parlò più. Ogni cosa diventò buia e silenziosa.

"Stai dormendo!"

Pietro spalancò gli occhi così all'improvviso che gli fu difficile capire cosa stessero vedendo. Le orecchie rimasero squarciate da quella voce che gli fracassava i timpani. E il cuore sobbalzò, pompando paura.

"Ti eri addormentato!"

Sollevò la testa. Suo padre era così vicino che avrebbe potuto mangiarselo in un boccone. Gli occhi azzurri e sottili erano lì che lo inchiodavano.

"È così che si impara. Più che a scuola. Lo capisci? Lo capisci?"

Pietro annuì così tante volte che si accorse solo in quel momento della saliva che gli colava lungo il mento. Si pulì, poi fece sparire la mano sotto il sedere.

Non era stato il solo a risvegliarsi: anche la cosa dentro si era mossa impazzita.

Pietro respirava a fatica. L'aria non gli bastava, si fermava in gola e non gli arrivava nei polmoni. All'improvviso sentì freddo.

Suo padre ritornò a sedere.

Sullo schermo comparvero un monumento e la statua del cavaliere con la grande spada. Poi Pietro registrò una strada, la pioggia, una macchina rossa, un finestrino rotto, un lenzuolo gonfio, tanti uomini intorno, e il sangue.

Sangue.

"Non devi aver paura. Quello è sangue cattivo. E

se lo hanno ammazzato hanno fatto bene," disse suo padre.

Colava rosso e lento sull'asfalto bagnato, quel sangue cattivo. Usciva dalla testa di quel signore steso a terra che aveva anche perso una scarpa. Pietro continuò a vederlo anche quando entrò nella sua camera. E nel letto. Il sangue era ancora lì, davanti ai suoi occhi.

7.

L'indiano arrabbiato lo guardava dall'alto. Aveva il braccio alzato e urlava a squarciagola agli altri due indiani seduti al suo fianco. Aveva le piume sulla testa e l'arco con le frecce sulle spalle. E dietro tutto c'era la grande montagna arancione.

Il poster era appeso al muro, illuminato dalla luce gialla della lampada sul comodino.

Sua madre gli aveva spiegato che l'indiano era un capo perché portava il grande cappello colorato e perché era il più vecchio di tutti. Era un indiano buono e difendeva le persone deboli. Era arrabbiatissimo perché i cowboy avevano fatto del male ai bambini della sua tribù e adesso ci avrebbe pensato lui. Sua madre gli aveva anche detto che quello era un indiano speciale che proteggeva tutti i bambini. Se glielo chiedevi, lui usciva dal poster e dava una lezione ai malvagi.

Pietro guardò la faccia dell'indiano per l'ultima volta. Subito dopo spense la luce e chiuse gli occhi gonfi. All'inizio il viso del pellerossa rimase vivo, poi scomparve pian piano. Quando Pietro riaprì gli occhi c'era solo la notte. Per fortuna l'indiano era riuscito a far scomparire il sangue che prima era dappertutto. Ce l'aveva fatta grazie al suo urlo da combattimento e alla sua forza di capo.

Nel buio Pietro allungò una mano e prese la lampada sul comodino. Poi si sedette sul pavimento. Il fresco salì dalle gambe nude per tutta la schiena.

Si mise a pancia in giù e si spinse sotto il letto, trascinando la luce con sé.

Quando entrò lì sotto mise subito la luce a illuminare ogni cosa.

Poi si voltò, gli occhi fissi alle molle di ferro del letto. Strinse le mani una contro l'altra e iniziò a sussurrare.

Quando il sole è lassù anche il male non c'è più, con il nero e con la luna vola via la mia paura. Il male se ne va, vola in alto e vola là e felice io sarò fino a quando lo vorrò. Fino a quando lo vorrò, lo vorrò, fino a quando lo vorrò.

Ti prego, Gesù Bambino, vieni anche tu con me domani. Così non sbaglio.

Intrecciò le dita, le portò alle labbra.

Ti prego, Gesù Bambino.

Poi i suoi occhi si chiusero. L'indiano era ancora lì.

8.

Gli piaceva seguire con l'indice le gocce che scendevano lente sul finestrino. C'era solo il vetro freddo tra la sua mano e la pioggia che colava.

Il rumore della ghiaia sotto le ruote si mischiava allo scrosciare dell'acqua contro la lamiera del tettuccio. Il *tuf tuf* del tergicristallo riempiva tutto l'abitacolo.

Pietro cominciava ad avere caldo. La giacchetta di nylon gli toglieva l'aria, avrebbe voluto levarsela, ma era troppo complicato perché la cartella gliela aveva sigillata addosso. Restò così, imprigionato, a sobbalzare per ogni buca della strada.

La macchina si fermò. Gli uomini del cancello si avvicinarono e salutarono sua madre. Lei abbassò il finestrino a metà, girando due volte la manopola.

"Dove siete diretta, signora?"

"Dai Mennino, in città."

Quando loro salirono, la macchina vibrò. Uno seduto avanti. L'altro dietro, al suo fianco. Muti, con i cappelli bagnati tra le mani.

Pietro si attaccò al vetro. Con la punta del naso che toccava la condensa guardò una delle loro macchine verdi con la sirena sul tetto che partiva avanti. L'altra rimase ferma al cancello. Erano macchine belle e con l'antenna lunga. Sgommavano pure, ma non come la Bianca.

Pietro disegnò due cerchi sul vetro appannato. E alle due ruote aggiunse una fiancata, nessun tettuccio, e un puntino appena sopra la portiera, lui al volante.

Si rannicchiò contro lo sportello e ogni tanto con la coda dell'occhio li guardava. Era bella la loro cintura. La desiderava, e anche il cappello con la visiera lucida. La pistola invece gli faceva molta paura.

Pietro fissò i lunghi capelli di sua madre che sbucavano dal poggiatesta. Odoravano di un profumo fresco e buono. Quando erano loro due da soli, senza i domestici e papà, lui ci tuffava un po' il naso dentro e ce lo strofinava su e giù.

Restò fermo, con le dita strette al sedile. Poi una curva lo spinse bruscamente contro il suo vicino di posto.

"Scusate. Non volevo," fece sua madre, raddrizzando il volante.

Oltre il parabrezza la città si avvicinava.

"È che davanti vanno veloci," continuò lei.

La pioggia batteva sulla lamiera del cofano e del tettuccio, mentre le ruote schiacciavano l'acqua contro il cemento.

Pietro sentì uno di loro parlare nel suo strano telefono: "Rallenta un po'," fece.

Una voce di risposta uscì confusa dalla cornetta.

Adesso l'automobile davanti era più vicina.

Pietro guardò il cartello con il nome della città.

Ancora poco e sarebbe sceso. Ancora tre strade. La sua scuola, il ponte, poi a destra fino in fondo alla via. Conosceva a memoria il percorso.

"Pronti a scendere," disse deciso l'uomo davanti.

Il motore finì di ruggire, i freni rallentarono le ruote.

Sua madre si voltò allungando le braccia: "Vieni qui amore," disse avvolgendogli il cappuccio attorno alla testa, "così non ti bagni". Il cappuccio gli finì sopra gli occhi e Pietro se lo aggiustò.

"Vengo a prenderti stasera, prima di cena," fece lei. E subito dopo lo baciò.

Pietro tirò la leva della portiera e mentre scendeva la ascoltò parlare ancora: "Fatti spiegare quella benedetta matematica, e saluta Toni e Giovanna da parte nostra".

Si sistemò meglio la cartella.

"...e non ti scalmanare."

Pietro si voltò di scatto. E la vide sorridere.

Scese assieme all'uomo. Poi chiuse la portiera, gli occhi sul finestrino ricoperto di nuova condensa: lui e la Bianca erano scomparsi. La pioggia li aveva cancellati.

Si tolse il cappuccio lasciandolo pendere sulla schiena, tanto non serviva. L'ultima goccia di pioggia era stata verso la fine del viaggio, quando anche i tergicristalli avevano smesso di funzionare. Adesso il cielo dormiva.

Dietro di lui c'erano i passi. Quattro, cinque passi soltanto. Giusto il tempo di arrivare all'enorme scacchiera di pulsanti grigi davanti all'entrata arrugginita e bassa.

Lui e l'uomo del cancello si fermarono.

Pietro si avvicinò alle quattro colonne di campanelli. In punta di piedi, accostò il dito a fianco della scritta sbavata: TONI MENNINO. Schiacciò il pulsante, chinò la testa e vide il bianco delle scarpe schizzato di fango. Si accovacciò e strisciò le mani sullo sporco. Poi si tirò su, e mentre stava per suonare ancora, la serratura scattò.

Entrò. Ma prima di andare guardò l'uomo del cancello rimettersi il cappello, tornare da sua madre e ripartire. Intanto la seconda automobile che li aveva accompagnati in città aveva parcheggiato di fronte. Dentro erano in due. Come ogni volta.

Pietro camminò per tutto il sentiero che portava al cortile interno. Ai lati c'erano cespugli secchi e insetti giganti che giravano intorno ai rami bagnati e morti. Quelle erano le zanzare più grosse che aveva mai visto. Avevano ali larghe e fortissime. Luigi gli aveva detto che erano zanzare timide e non bisognava avere paura perché non attaccavano mai. Invece ora gli stavano volando di fronte e dietro e ancora di fronte. Ronzavano ovunque e non la smettevano più. Si mise una mano sugli occhi e corse guardando di sfuggita l'ammasso di rifiuti squarciati dal branco di gatti che sceglievano il cibo tra le mosche impazzite. Accelerò ancora, tenendo ferma con una mano la cartella che ballava sulla schiena. Superò la piccola tettoia e arrivò al cortile che chiamavano giardino. Ma non lo era affatto, era un rettangolo di cemento crepato, tra quattro palazzi altissimi e grigi. Lì delle voci strillate rimbalzavano dai terrazzini affacciati sopra la sua testa. In un inferno di piatti sbattuti, grida di bambini e urla, e un tanfo pesante. Un misto di immondizia e orina impregnava tutte le cose e si attaccava addosso. Molto peggio del letame rinsecchito che Nino stendeva in terra a primavera.

Pietro si tappò il naso e proseguì per qualche metro. Poi girò a sinistra, verso la palazzina A. Il portone di vetri scuri era accostato. Non lo toccò neanche, si spalancò quando fu sul punto di spingerlo.

Alzò la testa. Fece un balzo indietro e sentì parlare: "Ma che fine avevi fatto?".

Un uomo basso, senza barba, con pochi capelli e con il viso appuntito. Magro che quasi ci affogava in quei suoi vestiti larghi. Gli occhi grandi, da rana. Pietro lo aveva visto quasi sempre con un grembiule e con la testa coperta da un cappello da cucina che gli cadeva ogni volta che si piegava. Aveva sempre le mani bianche di farina quando lui e suo padre andavano a comprare i cannoli il sabato pomeriggio. Poi da un giorno all'altro aveva smesso di vendere i dolci. La pasticceria Toni Mennino aveva chiuso all'improvviso.

Sentì addosso le sue mani veloci che gli toglievano la cartella e lo aiutò, sfilando le braccia dai due lacci che la reggevano alle spalle. Non era mai successo lì, all'ingresso. Il controllo andava fatto di sopra, dentro la casa. Ma erano in ritardo e salire tre piani di scale portava via troppo tempo.

Il pasticcere si accovacciò e per due volte provò a far scattare il lucchetto della cartella. Poi ci tuffò le braccia dentro e rovistò con foga. "Avevo paura che si era bagnata!" disse sospirando e passandosi il polso sulla fronte.

Pietro alzò gli occhi e li vide. Erano seduti su uno scalino, sulla seconda rampa. Sorridente e attento, Luigi. Seria e imbronciata, sua madre. Lo guardavano attenti.

Toni si rialzò. Pietro sentì il suo alito, puzzava di vino e di vecchio. Gli salì lo stomaco in gola.

"Tieni, rimettitela." Poi aggiunse: "Sei pronto?".

"Sì," disse Pietro sottovoce, senza mai smettere di guardare la madre di Luigi. Si nascondeva dietro la schiena del figlio e ogni tanto sollevava la testa sopra il corrimano per vedere meglio. Muoveva il collo in su e in giù seguendo ogni movimento del marito.

"Sali subito, Giovanna! Sali!"

La donna si rizzò in piedi e corse via. I passi veloci e disordinati arrivarono in alto, fino a quando si udì una porta sbattere.

"Donne impiccione." La pelle, prima bianca e

spenta, adesso era diventata tutta rossa. L'uomo si schiacciò i capelli arruffati con due dita bagnate di saliva.

"Non ti devi sposare mai, hai capito? Solo devi stare, solo!" disse, sistemandogli la cartella sulla schiena. "E tu, Luigi, qui vieni, qui! Ricordati di rimanere fuori. Hai capito?" raccomandò al figlio che stava scendendo gli ultimi gradini.

Toni prese Pietro per mano e insieme uscirono fuori. Sapeva dove lo stava portando, ci sarebbe arrivato anche da solo se avesse avuto le chiavi. Ma quelle, le aveva Toni. Lui e basta.

Scesero delle scale strette e sporche a fianco del condominio. Il puzzo insopportabile lo costrinse a mettersi una mano sul naso. L'odore acre superò le dita e gli arrivò dritto in gola. Tossì con forza.

Pietro sentiva le scarpe di Luigi dietro di loro. Toni era avanti, che si trascinava appoggiandosi al muro ammuffito. Pietro gli guardava l'elastico dei pantaloni strozzato da un nodo che pendeva a lato. Erano a righe viola e bianche, come quelli dei pagliacci che aveva visto sui libri e una volta in città. Pantaloni da pagliaccio che si fermavano alla caviglia e che lasciavano scoperti gli zoccoli bianchi e il calcagno appuntito.

Il pasticcere spinse una porticina di legno che si aprì subito. Il corridoio adesso era di fronte. Sia a destra che a sinistra rivide quelle piccole stanze aperte, una serie di cantine minuscole, regolari, una di fronte all'altra, contrassegnate ognuna da una lettera e da un numero. Alcune completamente sgombre, altre riempite di bottiglie vuote, mobili bucati e ammassi di ferro arrugginito.

Mentre camminava, Pietro cercava di non ascoltare lo squittio dei topi. Si mise le mani sulle orecchie e le tolse soltanto alla fine del tunnel, quando il ronzio dei cavi elettrici copriva ogni altro rumore. Lui e Luigi lo chiamavano l'alveare. Era una colonna al centro del corridoio, tutta rattoppata di fili che finivano in una grande scatola di legno.

"I fili!" avvertì Toni.

Per oltrepassare l'alveare bisognava schiacciarsi contro il muro. Quello era l'unico modo per non farsi pungere dalla scossa. Pietro si tolse di dosso la cartella. La tenne stretta in una mano e si attaccò con la schiena alla parete. Si alzò in punta di piedi e iniziò ad attraversare l'alveare. A metà strada la cartella diventò più leggera. Era Luigi che la stava sollevando per un laccio. Pietro la tirò a sé, Luigi non la lasciò. Per un istante si fermarono proprio nel punto in cui il groviglio di fili si faceva più pericoloso.

"Muovetevi!" urlò Toni.

Pietro fu il primo a superare l'ostacolo. Luigi gli sorrise e lo raggiunse.

Toni era già arrivato in fondo, davanti alla porta di ferro sverniciata. Imprecava contro il mazzo di chiavi che stava scrollando tra le mani. Un tintinnio metallico si diffuse dappertutto, fin quando il pasticcere inserì la chiave giusta nel buco arrugginito. La porta si aprì appena e si accese tra loro una sottile striscia di luce.

"Voi aspettate qui." Lo videro tornare indietro di qualche passo e scomparire in uno stanzino.

"La palla," bisbigliò Luigi.

Poco dopo Toni si presentò con una palla sporca di pezza rossa. Riaccostò la porta di ferro e nel buio ripeté le parole di ogni volta.

"Mi raccomando mentre camminate... La palla... Piano... Guai a voi se... Alla fine tu Luigi richiudi la porta e riprendi le chiavi."

Si passò una mano prima sulla bocca e poi contro la nuca. Guardò il figlio. "Chiaro? Giocate piano. Poi quando arrivate tu, tu Luigi, fuori stai. Saluti e fuori stai. Chiaro?"

"Chiaro," ripeté subito Luigi.

Pietro guardava il pasticcere parlare che si accompagnava con gli stessi gesti di sempre. Guardava quell'uomo piccolo con i pantaloni da pagliaccio che si chinava e puntava l'indice poco sopra il naso di Luigi. A ogni raccomandazione il dito si abbassava e si rialzava, si abbassava e poi si rialzava ancora davanti agli occhi vispi del figlio.

Poi Luigi spalancò la porta di ferro.

Da dietro, Toni parlò ancora: "Io a casa torno. Le chiavi, mi raccomando…".

"Va bene," rispose Luigi. Ed erano già nella luce. Da lì bisognava risalire di pochi gradini per arrivare alla strada. Era una viuzza laterale costeggiata da case sventrate e macerie sparse dappertutto. Le macchine non ci passavano più da tanto, perché i pezzi di case erano arrivati fino in mezzo alla corsia. Branchi di cani annusavano i mucchi di mattoni bagnati.

La palla toccò terra. Se la passarono, attraversando la via deserta. Passaggi corti e veloci che tagliavano l'asfalto bagnato. Luigi la calciò avanti, sull'altro lato della strada. Nessuno dei due parlava. Guardavano a tratti oltre le case diroccate, dove la via delle macerie incontrava la grande strada trafficata. Là, dietro l'angolo, c'era l'automobile verde con la sirena sul tettuccio. E c'erano gli uomini del cancello, seduti a fumare in macchina.

Pietro rallentò, la cartella gli stava scivolando. Quando Luigi se ne accorse ci mise una mano sopra per tenerla ferma, ma Pietro scattò in avanti, lasciandolo indietro finché l'asfalto sporco di cocci finì e cominciò il sentiero fra gli orti: stretto, lunghissimo, di ghiaia.

Da quel momento dovettero proseguire in fila indiana. Quella lingua di terra fra le recinzioni era un metro di larghezza per più di cento di lunghezza.

Camminarono. Corsero. Poi all'improvviso Pietro si voltò verso i quattro palazzi. In cima due di essi avevano dei lenzuoli bianchi che svolazzavano come bandiere giganti. L'ultima volta il lenzuolo era uno solo, rosso e più piccolo.

"Corri! Non avere paura!"

E Pietro corse, corse e basta.

"Stai tranquillo, che oggi non succede!" Luigi gli agguantò un braccio e lo costrinse a guardarlo.

Ripensò all'ultima volta che era stato da Carmine. Non rispose a Luigi, percorse gli ultimi metri, e davanti alla piccola ringhiera fece leva sulle braccia. Alzò la gamba per scavalcare e lassù, sospeso, disse: "Come lo sai che non succede?". Poi scese, e aspettò.

"Me lo sento... Me la fai vedere?" domandò Luigi mentre scavalcava come un fulmine.

Erano uno a fianco dell'altro. La nuova via, più larga, aveva ai lati due file di vecchie macchine parcheggiate, quattro case sul lato sinistro e solo due sul destro. Un'altra strada la spaccava al centro. In fondo, la palazzina verde senza giardino.

"È tardi, non si può!" fece Pietro, allungando il passo. Poi aggiunse: "Se mio padre ci scopre s'arrabbia".

"Solo vederla..." disse Luigi buttando la palla a terra.

"No, s'arrabbia moltissimo!"

"Non lo saprà mai... la tieni tu e me la fai vedere!" Luigi superò Pietro e gli mise una mano sulla spalla.

"È tardi," fece Pietro sollevando il braccio dell'amico. "È tardi..." ripeté. Poi spinse la porta socchiusa. E insieme entrarono nel palazzo verde.

Il silenzio che li accolse non li stupì. Almeno non come la prima volta. Era assoluto e pulsava, un rumore continuo, fastidioso e gelido. Vibrava nell'atrio e per tutta la tromba delle scale, era un fischio infinito che strideva nelle loro orecchie.

Era tutto bianco, lì dentro. I muri, la luce e le scale. L'aria di polvere si attaccava alla gola e alle narici, un fetore aspro e fresco che si appoggiava sugli occhi e sul viso.

Luigi fece la prima rampa di scale correndo.

Pietro era dietro e si aiutava col corrimano. Fissava i gradini, erano ostacoli insormontabili. Erano altissimi, e le gambe gli pesavano come macigni. Un passo alla volta, solo un passo alla volta. Le scarpe salivano, si fermavano e salivano. Le vide attraversare il primo e il secondo piano. Le vide ferme al terzo. Poi, alzò la testa. Luigi era già con la schiena al muro. Sorrideva. "Vai! Io aspetto," sussurrò.

Una porta scheggiata e lucida, bucata al centro da un minuscolo spioncino. Il pugno di Pietro bussò. Tre colpi, come convenuto.

La serratura cigolò. Gli ingranaggi si mossero e grattarono tra loro, scuotendo il legno della porta. Sembravano spade e lance di cavalieri che si scontravano in battaglia. Tintinnavano e strisciavano dallo stipite e poi giù fino al pavimento.

Pietro sentì una cascata di metallo addosso e indietreggiò.

I colpi adesso erano veloci e più acuti. Una catena scorreva e continuava a sbattere regolare. E poi uno stridore lunghissimo. Un primo spiraglio. E ancora un altro.

"Buo... buongiorno," disse Luigi da dietro, con la palla tra le mani.

Una boccata di fumo varcò la porta.

"Tu fuori stai, chiaro?" La voce strascicata riempì il pianerottolo. Carmine non indicò nessuno, ma loro sapevano a chi si riferiva. Si girò e rientrò in casa, lasciando dietro di sé la porta aperta.

"Vai… Entra! Entra!" esclamò sottovoce Luigi.

Pietro avanzò nella penombra. Carmine fece prima scattare la serratura e poi inserì di nuovo la catena intorno al chiodo di ferro che sporgeva dal muro. La porta era tutta percorsa da tubi paralleli, ognuno fuso a un tubo più grosso che si infilava nel soffitto.

Seguì Carmine in fondo al corridoio spoglio e Carmine gli indicò la sedia rossa con i braccioli. Si levò la cartella e l'appoggiò sotto il tavolo, vicino alla fila di bottiglie vuote.

Gli tremavano le ginocchia. Fissò fuori dalla finestra le nuvole che viaggiavano veloci nel cielo un po' azzurro. Il sole usciva e si nascondeva e, quando c'era, il bianco sporco di quella cucina si illuminava e si accendeva. Gli piacevano le piastrelle sopra il fornello, erano colorate e avevano al centro tre gnomi con il cappello blu a punta e le guance tutte rosse. E gli metteva paura la cartolina appesa al frigorifero, quella con l'uomo con la barba e con gli occhi di fuoco che teneva in una mano una croce e nell'altra due tavole di pietra. Vicino alla finestra era appesa una piccola Madonna che l'ultima volta non c'era: triste e azzurra come quella che suo padre teneva nel suo studio sulla scrivania, chiusa in una cornice d'argento.

"Ogni volta che lo vedo, suo padre mi ricorda! E per questo deve starsene fuori. Mi capisci?"

Pietro annuì guardandolo appoggiare una camicia sul ripiano di legno sotto la finestra.

"È un fatto di vista. Il pasticcere mi ricorda! E il pasticcere non me lo voglio far ricordare! Mi capisci?"

Pietro fece cenno di aver capito.

"Perché quello era buono solo a fare i cannoli. E basta. Invece s'è voluto mettere in mezzo e c'ha messo in mezzo pure il figlio. E se non c'era tuo padre, quelli io non li volevo. Solo per tuo padre lo faccio. Che è un bravo cristiano."

Parlava tenendo una mano sul colletto dell'indumento mentre la sigaretta gli fumava tra le dita. L'altra stringeva un vecchio ferro da stiro che iniziò a far strisciare con forza sulle maniche.

Una vecchia radio nera suonava una canzone, Pietro l'aveva sentita parecchie volte quand'era in macchina, andando a scuola. Per un attimo tornò a quelle mattine, con sua madre che guidava e insieme cantavano.

Carmine imprecò. La cenere gli era caduta sulla camicia.

"Prima o poi devo trovarmi una moglie. Vero o no? Così stira, lava, pulisce tutto lei. E quando torno a casa mi metto davanti alla televisione e basta. Giusto o no?"

Pietro gli diede ragione, grattandosi un orecchio. Il nylon della giacchetta fruscì.

"…Una che fa tutto. Che quando dici 'ho fame' lei si mette in cucina e dopo ti porta quello che vuoi. Capisci?"

Pietro rimase in silenzio.

"Capisci?"

"Sì."

"Ah, ma allora la voce ce l'hai!? Credevo che ti avevano mangiato la lingua!"

"Sì."

"Sì, sì, sì… Sempre 'sì' dici? Che c'hai, un disco? Scommetto che quando tuo padre ti passa davanti tu gli dici 'sì'. Vero o no?" Carmine rideva di gusto, mostrando il dente rotto.

"No."

"Ah, ma allora conosci pure altre parole! Progressi facciamo…! Perché, tu non la vuoi una donna che ti fa tutto a casa?"

"No."

"Già, è vero. Tu hai già chi te le fa le cose a casa. Camerieri, cuochi. E cosa vuoi allora?"

Pietro restò muto. Fissò la camicia sbottonata da dove uscivano lunghi peli neri.

"Niente vuoi?" domandò ancora Carmine.

"Guidare."

"Ah, vuoi guidare?"

"Sì."

"Cos'è che vuoi guidare?"

"La Bianca," rispose Pietro con sicurezza.

"Un'automobile bianca?"

"Sì, la Bianca di papà…"

"Quella di tuo padre vuoi, eh…? Anche io ne voglio una così…! Poi me ne vado sul serio!" Carmine rise, poi continuò: "Cos'altro vuoi?".

Pietro ci pensò su. Guardò i tre gnomi dal cappello blu a punta.

"Solo la macchina bianca vuoi?"

Non fiatò. Fissò le sue scarpe sporche di fango ed esclamò: "Andare al vulcano con Nino sulla Bianca".

"Chi?" chiese Carmine.

"Nino… è mio amico."

"Nino… Marrazzo." Carmine ragionò ad alta voce. "Nino Marrazzo? Il giardiniere? Quello vuoi? Quello?"

"Sì."

"Così piccolo e stai già dall'altra parte?"

Pietro non capì. Ma ebbe paura, ancora di più. Perché quando non capiva, Carmine s'infuriava. E urlava e strattonava. Come l'ultima volta.

Chiuse gli occhi.

"Quello è tale e quale al pasticcere. Te lo dico io! E lo sa anche tuo padre. Sono quelli che non si fanno gli affari loro. Che parlano parlano... Non so come fa a tenerlo ancora lì con voi. Vabbè che lo ha visto crescere... Non ti vale neanche come amico quello lì!"

"Non è vero!" gridò Pietro. La sua voce si alzò, il viso che gli bruciava per la rabbia.

Carmine abbassò il ferro da stiro sull'asse. Si tolse dalla luce della finestra e aggirò il piano di legno, strisciando contro il lavandino la grande pancia che gli usciva dalla camicia troppo corta. Si avvicinò a Pietro e quando gli fu davanti gli sbatté il viso in faccia.

Il fiato di fumo, il profumo acre di colonia gli entrarono tutti dentro. A Pietro venne da tossire, ma lo sforzo gli morì in gola e tornò in fondo ai polmoni. Non si mosse, sgranò gli occhi. Le pupille di Carmine erano piccole e scure, il naso schiacciato tra le guance bucate dall'acne. Le labbra si muovevano in avanti e si allargavano a mostrare i denti lucidi e affilati. La barba era rada e ogni filo era una lingua che si contorceva e si allungava per afferrarti.

Le parole di Carmine sibilarono: "Tu, ragazzino, non te lo immagini nemmeno chi sono i veri amici. Gente come tuo padre. Loro sono amici. Uno come lui, come tuo padre, che fa finta di parlare e li fotte a tutti quanti. Un uomo vero. Come tuo padre. Uno che li rispetta gli amici. Uno che non parla. Capisci?".

"Sì," disse Pietro. "Come mio padre," aggiunse quasi sottovoce.

"Bravo, come tuo padre. Devi essere fiero. Gente come lui e me. Amici. E non come il giardiniere." Si rialzò in piedi farfugliando qualcosa, e aprì un piccolo armadietto a fianco del frigorifero.

Pietro arricciò le dita dei piedi, solo un attimo.

Perché la cosa dentro si era mossa e il suo cuore scoppiava di rabbia e di paura.

"Ne vuoi?" disse. Carmine gli allungò un'arancia. Scosse la testa.

Carmine si sedette al lato lungo del tavolo e lui girò la sedia davanti a quello corto.

Tenne lo sguardo basso, sulla cartella che gli toccava appena il piede. Con la coda dell'occhio guardò la lunga striscia di buccia giallastra pendere dalle mani di Carmine.

Il frutto fu spogliato senza che il coltello si staccasse mai. La pelle dolciastra cadde intera sul tavolo, senza tagli né spaccature. L'arancia, nuda e perfetta, venne tagliata in quattro parti.

"Non ne vuoi allora?" insisté Carmine.

"No... Non mi piacciono molto le arance."

"Affari tuoi," disse. E si portò il primo spicchio in bocca.

Pietro le guardò per tutto il tempo che Carmine masticava. Lisce. Pulite. Davano l'idea di morbido. Come quelle di sua madre. Ne era stato attratto dalla prima volta che le aveva viste da vicino. Paffute ma senza segni: le mani di Carmine erano quelle di un'altra persona. Pareva che qualcuno gli avesse staccato le mani pelose e rovinate che si meritava e gliene avesse cucito un paio stonate. Come una specie di scherzo.

Poi il suo sguardo andò al pacchetto di sigarette accanto ai fornelli, alle scarpe rovinate appoggiate contro il muro, alla valigia afflosciata in un angolo. Si fermò sulla ciotola blu sopra il frigorifero. Riusciva a vederne solo una piccola parte perché una pezza bianca di cotone la copriva quasi del tutto. Da com'era gonfia poteva essere pienissima. Ma di cosa, si chiese.

"A proposito, come stanno i tuoi genitori?" disse Carmine facendo un rutto. E subito dopo ne fece un altro, ma meno potente e più strozzato del primo.

"Stanno bene."

"E tuo padre se ne sta sempre in casa, vero?"

"Sì."

"E si capisce. A nessuno ci piacerebbe uscire con gli accompagnatori. Per questo lui esce poco."

"Papà lavora sempre," disse Pietro. Sentì caldo.

Carmine rise di gusto, appoggiandosi quanto poté allo schienale. "Lavora sempre... Già... Lavora sempre." Rise ancora, poi uscì dalla cucina e aprì la porta del bagno.

Poco dopo, Pietro udì un rumore d'acqua strisciare dentro il muro tra le due stanze. Fermò le gambe dondolanti sotto la sedia.

"E ringrazia il buon Dio che ce l'hai a casa tuo padre. Perché è furbo, altrimenti..." La voce arrivò chiara dall'altra stanza.

Pietro si sentiva le mani bollenti e umide. Anche sotto le braccia era caldo e il bagnato colava dalle ascelle lungo tutto il fianco. Si slacciò solo un po' la giacchetta e adagiò tutta la schiena contro la sedia. Guardò il ripiano di fronte, verso la ciotola blu coperta dal panno. Sembrava stracolma e anche di più. Forse era qualcosa che Carmine gli avrebbe dato da portare a suo padre. Magari un regalo.

Carmine rientrò in cucina e si sedette sulla stessa sedia di prima, accanto alla sua. Si accese un'altra sigaretta che tirò fuori assieme ai cerini dalla tasca della camicia.

Il fumo gli attraversò le narici uscendo denso e veloce.

"Allora..." disse guardandolo, "...ce l'hai qualcosa per me?"

Pietro si piegò di scatto, spostando la cartella da sotto il tavolo. L'afferrò portandosela sulle ginocchia.

"Calma, calma," disse l'uomo.

Pietro non l'ascoltò. Fece scattare il lucchetto e l'aprì. Ci rovistò dentro e strinse con le mani qualcosa che faticò a estrarre. La cartella rotolò a terra. Pietro appoggiò un libro sul tavolo.

Aveva una copertina rossa e una scritta al centro: *Sussidiario di italiano per le scuole elementari.*

"L'hai cambiato. L'altra volta era blu."

Pietro si alzò in piedi, scostando la sedia con una gamba. Il tavolo gli arrivava al torace, ma da quella posizione ci sarebbe riuscito meglio. Cominciò a sfogliare il sussidiario, facendolo sventagliare dalla prima all'ultima pagina. Un fruscio regolare e crescente che culminò in un piccolo tonfo finale. Lo fece ancora per due volte.

Poi vide la busta che spaccava il libro a trequarti. La sfilò. Bianca e rigida. Come tutte le altre prima di lei. E perfettamente incollata. Né più leggera, né più piena rispetto al solito. Nessuna scritta in fronte o sul retro. Una semplice busta da lettera.

Passò dalle sue mani a quelle di Carmine. Pietro lo vide aprire il cassetto sotto il tavolo, prendere un coltello e come per l'arancia fare qualcosa che ogni volta gli riusciva sempre meglio: un colpo secco, deciso, che scollò la chiusura della busta.

"Allora, vediamo un po'..." disse Carmine.

Pietro trattenne il respiro e sperò che suo padre avesse scritto delle cose gentili. Non come nella busta dell'altra volta che aveva fatto tanto arrabbiare Carmine.

L'uomo si alzò in piedi e andò alla finestra. Là, si fermò. Di schiena.

Pietro lo sentì tirar fuori qualcosa dalla busta.

Frusciava e Carmine se lo fece passare e ripassare tra le mani.

Si voltò. Non sembrava arrabbiato. "Ringrazia tuo padre. E digli che le cose stanno bene così. E che tutto andrà a posto." Piegò la busta e la infilò nella tasca posteriore dei pantaloni.

"Ora festeggiamo," disse Carmine spegnendo la sigaretta ancora a metà. Afferrò la ciotola blu e l'appoggiò sul tavolo. Poi sollevò il panno bianco e scoprì una montagna grandissima di cannoli.

Erano uno sopra l'altro. C'erano i canditi verdi e quelli rossi. C'era la ricotta bianca, la pasta sfoglia nera e quella gialla. Il profumo gli piombò addosso.

Pietro uscì così, con un cannolo stretto in mano, mentre la porta si richiudeva alle sue spalle.

L'odore umido dei muri ammuffiti lo invase subito. Vide Luigi rialzarsi di scatto da terra e agitare le mani. "Non ha gridato! Avevo ragione, avevo ragione! Visto?" esclamò stupito a bassa voce.

Sopra di lui, in un'incavatura del muro, la Madonna di gesso aveva il lumino acceso.

9.

"Tienila ferma… più ferma!"

"Più di così non si può!"

"Togli il dito!"

"Più a destra, taglia più a destra!"

La lucertola corse via, sgusciando tra quel groviglio di mani. Senza nessun taglio. Si perse nell'erba. La prima lucertola che era riuscita a tenersi la coda.

"Guarda bene, forse è vicina," disse Luigi.

"Non c'è!"

"Guarda dietro, lì dietro."

"Ti ho detto che non c'è!"

"L'ho vista che se ne andava proprio lì!"

"Hai visto male!" fece Pietro.

"Cerchiamola meglio!"

"È troppo veloce, chissà dov'è adesso."

"Magari si è nascosta…"

"Questa era la più grossa…" Pietro immerse ancora una volta le mani nell'erba.

Luigi non rispose.

"E poi tu la stringevi poco," disse Pietro.

"Non è vero, sei tu che quasi mi tagliavi un dito con il coltello!"

"Io lo so come si fa con il coltello," alzò la voce Pietro.

"Ma se tutte le volte che ce l'hai in mano ti tremano le gambe!" Luigi ridacchiò.

"Non è vero!"

Pietro si allontanò riprendendosi il barattolo e l'asse di legno che Nino gli aveva restituito quella mattina.

"Dai, facciamo che la colpa è di tutti e due o di nessuno. Anzi, facciamo che è di nessuno!" disse Luigi.

"Invece è colpa tua... la stringevi male."

"Va bene, io dico che la stringevo male se tu però dici che tremavi con il coltello."

Pietro restò fermo, in piedi e con tutte le braccia cariche. "Va bene, però più tu."

"D'accordo, un po' più io."

"Nino c'è?" chiese Luigi all'improvviso rialzandosi dall'erba.

"No, Nino è andato in città. Torna dopo."

"Volevo vedere il barattolo rosso. Ora è quasi pieno, vero?"

"Quasi. Mancano poche code e poi ne facciamo un altro."

"Eh sì, fra un po' ce ne vuole un altro..." ripeté Luigi mordicchiandosi le unghie nere di terra. Poi gli si avvicinò e disse piano: "Cosa ti ha detto Nino?".

"L'ho aiutato a raccogliere i rami. Mi ha anche insegnato come si fa a tagliarli. Devi fare così con le forbici," rispose Pietro, inclinando i polsi come se avesse delle grosse tenaglie tra le mani. "E poi mi ha detto che i rami secchi..."

"Di ieri?" lo interruppe Luigi. "Avete parlato di ieri?"

"Sì."

"E che ti ha detto?"

Pietro guardò fisso in terra. "Che non è giusto che ci vado io."

"E poi che ti ha detto?"

"Che a Carmine gli devo dire sempre sì anche se non ha ragione e che deve andarci un altro e non noi bambini!"

"Andarci un altro?"

"Sì. Ma io gli ho detto che papà vuole solo me come aiutante."

"E lui cosa ti ha risposto?"

"Ha detto una bestemmia."

Luigi sorrise e afferrò la tavola di legno che stava cadendo dalle mani di Pietro. Insieme si allontanarono e quando arrivarono dietro la piccola casa la coprirono con il barattolo sotto il telo di plastica. Poi si sedettero su due vecchie sedie verde pistacchio appoggiate al muro.

"La prossima volta la leggiamo?" Luigi si dondolava, tenendo la sedia in equilibrio con la nuca che raschiava contro il muro e con le punte dei piedi che spingevano verso l'alto. "Dai..."

Una mosca volava da una gamba a un'altra. Si appoggiava sul polpaccio di Pietro, risaliva fino al ginocchio e lì si strofinava le zampe per qualche secondo. Subito dopo passava alle gambe di Luigi, piene di croste spesse e nere. Poi andava più su, ronzava davanti ai loro nasi, si fermava e ricominciava. Pietro la scansò con una mano e lei fuggì tra i gerani.

"Una lettera e basta..." Luigi staccò le mani dai braccioli, impennando la sedia da terra più che poté.

"Io sono il suo aiutante."

"Ma non lo viene a sapere!"

"Sono il suo aiutante, non posso."

"Ma noi non lo diciamo a nessuno!"

"Se lo sa s'arrabbia e..."

"Se non glielo dici tu non s'arrabbia!"

La mosca tornò sulle gambe di Luigi.

"Dai, Pietro, solo una. È un segreto nostro e basta." Luigi si diede uno schiaffo al ginocchio, la sedia ritornò a terra. "Presa!" La mosca rimase attaccata al palmo della mano. "Com'era grassa…" disse con una smorfia, strofinando la mano contro il muro.

Luigi si alzò di scatto, staccò un filo d'erba e se lo mise in bocca. Provò a farlo fischiare due volte. Poi si piazzò di fronte a Pietro, a gambe larghe. "È un segreto nostro. Facciamo una promessa da migliori amici?" gli sussurrò.

"Noi siamo migliori amici," fece Pietro.

"E io che ho detto! Ora noi facciamo una promessa, una promessa che non si rompe mai."

"Promesso," rispose Pietro.

Le loro mani si intrecciarono. Pietro guardò Luigi che sorrideva e subito dopo il cielo. Il sole era alto e i raggi che scendevano illuminavano ancora metà del bianco del muro.

Scattarono appena sentirono lo scoppiettio dei motori e il suono del clacson.

Corsero subito attorno ai muri della piccola casa. Oltrepassarono gli alberi e si appiattirono contro le siepi. Da lontano videro le due macchine uguali. Poi gli uomini del cancello. E suo padre.

"Papà va via."

"Dove va?" domandò Luigi.

"Non lo dice mai."

Le due automobili fecero il giro della fontana. S'allontanarono lente, verso la stradina ghiaiosa, attraverso il cancello. Uscirono.

Pietro si schiacciò a Luigi fin quando il rombo dei motori scomparve lontano.

"La lettera…" disse improvvisamente Luigi sottovoce.

"Andiamo in cucina a fare merenda... c'è la crostata alle fragole di Aderita."

L'ascoltò ancora: "La lettera... tu sai dove le tiene?".

"Forse non l'ha ancora scritta..."

"Ma dove la scrive la lettera?"

"Nello studio."

"Andiamoci, la crostata la mangiamo dopo."

Pietro sgranò gli occhi. "La porta è chiusa. Papà la chiude sempre con la chiave quando va via," disse lui, sperando che quella bugia si avverasse davvero.

Nessuno li aveva visti salire le grandi scale di fronte alla fontana perché erano stati veloci e attenti. Avevano superato il salone e anche la sala subito a fianco. Per quella volta non si erano fermati a guardare la televisione o a far suonare uno dei vecchi dischi di sua madre. Erano corsi silenziosi nel corridoio, passando davanti a tutte quelle porte, fin quando i colpi secchi dell'orologio a pendolo erano diventati nitidi. Poi avevano rallentato e avevano visto la porta socchiusa.

La luce usciva netta dallo spiraglio sottile, un fascio che andava a colpire il viso giallastro e serio nel quadro appeso alla parete di fronte.

Luigi gli fece cenno di non parlare. Sorrise, mentre accostava l'indice alla bocca chiusa. Spiò nella fessura. La luce colpì il chiaro dei suoi capelli e corse sul suo corpo magro fino alle scarpe. Spinse la porta. Scricchiolò, ma fu un attimo.

Pietro lo guardò. Fissò per un istante il pendolo oscillare come una spada perfetta. Contò tre colpi in tutto. E con quei rintocchi ancora dentro lo seguì.

Gli scaffali di legno scuro e lucido arrivavano fino al soffitto. Erano tutti occupati da libri alti e grossi e con le copertine marroni. Nell'angolo c'era il divano azzurro di tessuto peloso con i piedi a forma di cane. In fondo, sopra la scrivania di legno rosso, la lampada di pietra bianca con il paralume chiaro era accesa anche stavolta. Era come una donna con i fianchi larghi che camminava tenendosi stretto in testa il suo grande cappello. Il telefono nero e la macchina da scrivere le erano a lato e luccicavano quando lei si accendeva.

I santi erano sparsi dappertutto, sulle mensole e negli angoli della scrivania, chiusi dentro cornici di legno e d'argento. Avevano facce tristi e pallide. Solo la Madonna azzurra appesa alla parete aveva un vestito colorato e rideva. Suo padre ogni tanto la baciava.

La finestra era dietro tutto, sempre chiusa. E c'era il fumo morto nell'aria.

Pietro conosceva ogni cosa. Le volte che suo padre lo aveva fatto entrare lui si era riempito gli occhi di quegli spigoli, di quelle superfici lisce e ruvide, delle forme, degli oggetti. Quando non voleva ascoltare le urla, puntava gli occhi sulla lampada dal cappello chiaro che invitava il telefono nero a ballare e che giocava con la vecchia radio. Lei era la regina dello studio ed era la più bella. Più bella anche della macchina da scrivere che era la preferita di suo padre e che veniva da Roma.

Rimasero immobili, al centro della stanza, mentre dalla finestra il sole entrava debole lottando contro il pulviscolo.

Luigi avvicinò ancora l'indice alla bocca e gli appoggiò una mano sulla spalla.

Avanzarono insieme, con le orecchie pronte. Pietro sentì le guance avvampargli.

Un piede alla volta. Luigi avanti, lui subito dietro.

"Andiamo via, ti prego! Ti prego!" fece Pietro sottovoce, agitando le braccia.

"Aspetta un attimo, tanto siamo già entrati."

"Non toccare niente!"

Gli occhi di Luigi erano ovunque. Con una mano sfiorò il legno rosso della scrivania. Strisciò le dita fino alla cartellina di pelle verde con i disegni dorati agli angoli. La aprì: carta, inchiostro, ma non quello che voleva.

Luigi si accovacciò. Scostò la sedia a ruote che finiva sotto la scrivania, dove un pannello di legno intarsiato copriva le gambe a chiunque si sedesse. Guardò le due pile di cassetti che sostenevano il piano.

Si chinò anche Pietro. Luigi aprì il primo cassetto. Il cassetto strisciò sui rulli, cigolando leggermente.

Pietro si toccò il collo: la cosa gli era salita in gola e pulsava.

Afferrò Luigi per la maglia e lo strattonò: "Richiudilo! Andiamo via! Andiamo!".

Luigi avvicinò il viso al cassetto aperto: fogli bianchi e un paio di occhiali da vista. Lo richiuse, provò con il secondo: vuoto. Il terzo, il quarto: chiusi a chiave.

"È qui dentro, ci scommetto! La lettera è qui!" disse Luigi strofinandosi le mani.

"Ti prego, andiamo, and..."

Le voci nel corridoio gli strozzarono le parole in gola. Voci sempre più chiare, sempre più vicine. Erano quasi dietro la porta.

Pietro si sentì trascinare per un braccio. Luigi lo tirò proprio lì dove le gambe di suo padre andavano a infilarsi quando era seduto. Con una mano avvicinò la sedia. Si ritrovarono appiccicati nel nascondiglio sotto la scrivania di legno rosso. Accartocciati e muti.

La porta si aprì, entrarono le voci.

"Il bambino è spesso qui, lo faccio più per lui. C'è troppa polvere qua dentro."

La voce di sua madre riempì lo studio. Pietro iniziò a sentire caldo. Il respiro corto di Luigi gli sfiorava un orecchio.

"Aderita, comincia dalla libreria che io intanto faccio il divano."

Nel pannello di legno c'era un foro abbastanza grande che se ci guardavi dentro vedevi metà dello studio. Era una piccola crepa che si era creata tra due grosse rose scolpite sul davanti della scrivania e che si ingrandiva tutte le volte che un piede di suo padre andava a sbattere contro il pannello. Pietro strisciò in avanti e avvicinò la testa al foro.

Vide sua madre e Aderita dalla vita in giù. Le loro gambe a tratti erano vicine e poi si allontanavano. Comparivano e scomparivano. Pietro si fissò su quelle di sua madre. Erano molto più sottili e chiare, si muovevano veloci e lo facevano come se non toccassero quasi terra. Erano leggere, volavano. Non avevano vene che le sporcavano, erano gambe di velluto bianco che danzavano tra le pieghe mosse della veste nera.

Pietro le seguì. Si fermavano alle mensole dei libri e si chinavano sul divano. E quando si incrociavano con quelle di Aderita era come se loro due ballassero.

Aderita aprì la finestra e la luce del sole entrò nello studio e anche nel nascondiglio. Pietro, ora, riusciva a vedere il viso paonazzo e bagnato di Luigi.

"Il signorino è in giardino?" domandò Aderita sbuffando per lo sforzo.

"Sì, è con Luigi."

"Ah, c'è il figlio del pasticcere? È proprio un bel bambino… e anche bravo. La figlia della sarta che è amica della madre mi ha detto che è uno dei più bravi a scuola."

"È un bambino molto intelligente e educato. Anche a mio marito piace."

"Con un padre come quello, è un miracolo che è uscito così..." fece Aderita abbassando di colpo il tono di voce.

Pietro chiuse gli occhi e non volle più guardare Luigi. Gli tastò la gamba e afferrò il suo ginocchio. Lo strinse forte.

"La madre però è una santa, perché con un marito come quello a casa non ci rimanevo io."

"Non è così facile."

Il tono deciso e rabbioso della risposta ammutolì la domestica. D'un tratto lo strofinio del suo straccio diventò più energico ora che spolverava la scrivania.

Sopra la loro testa tutto iniziò a vibrare.

Luigi si mosse piano, lasciando che Pietro sfilasse il braccio che era rimasto incastrato dietro la sua schiena. Il legno scricchiolò. Poi sentì da fuori il portone di casa sbattere. I passi pesanti di Aderita sul parquet, la voce di sua madre, i piccoli tonfi dei libri spostati per pulire. Ogni suono era frammentato dai loro respiri, prima affannosi e poi calmi, che morivano ogni volta che qualcuno si avvicinava al nascondiglio.

Pietro non sapeva più quali erano le sue gambe, e le braccia, e tutto il corpo. Forse lui era diventato Luigi e forse Luigi era diventato lui. Da quel momento in poi sarebbe stato per sempre l'altro e non più se stesso. Mai più.

Sentì la porta cigolare. Fu come un lamento, poi neanche un fruscio, una parola, un sospiro.

Tre passi.

"Buongiorno signore."

"Aderita, esca."

La cosa gli azzannò lo stomaco.

Pietro schiacciò l'occhio sulla crepa nel pannello.

Poi si sentì addosso il dito di Luigi: diceva non fiatare, non ti muovere, muoviti ancora meno di prima. Mille volte meno.

"Subito, signore," fece la domestica sottovoce.

La porta fu chiusa di nuovo. Il pavimento ricominciò il suo lamento sotto il peso di suo padre. Ci fu altro silenzio.

Il loro pensiero nacque e finì identico: perché non lo avevano sentito arrivare? Perché? Non c'erano state automobili là fuori. E neppure voci. Forse suo padre si era fatto lasciare al cancello e aveva camminato fino a casa.

Uno schiocco violento e le gambe di velluto bianco si mossero senza più grazia. Non danzavano più. Sbattevano contro i mobili e incespicavano tra loro. Erano diventate pesanti e maldestre. Indietreggiavano mentre i pantaloni scuri con le scarpe lucide avanzavano.

Pietro sentì un altro schiocco e un altro ancora. A raffica, vide i libri rovesciarsi, una cornice finire a terra.

Le gambe di velluto bianco si piegarono.

Poi più niente. Con la mano, Luigi coprì il foro del pannello di legno.

Pietro cercò di guardare ancora ma la mano era ferma. Allora si mise la faccia tra le ginocchia cercando di tapparsi le orecchie. Ma i pianti e i gemiti di sua madre laceravano ogni muro e continuavano a infilarsi nella sua testa.

Luigi gli afferrò una caviglia e gliela strinse forte, poi con la mano salì, gli sfiorò la bocca e gli fece una carezza sulla guancia. Lo abbracciò fino a sentirne il cuore.

Nessuno, in quella penombra, le vide. Si mischiavano al sudore del viso, due piccole lacrime che Pietro si asciugò sulle dita.

"Lo imparerai prima o poi..." gridava suo padre mentre il respiro gli rompeva le parole.

Sua madre provava a parlare, ma ogni parola si macchiava di singhiozzi violenti e ripetuti.

"Io ora esco e quando torno tutto deve essere al suo posto come prima. Come prima!"

Il parquet scricchiolò. La porta venne aperta e subito richiusa con violenza.

Pietro restò fermo, l'odore di sudore riempiva ogni spazio del nascondiglio. L'aria calda e pesante gli entrava grassa in gola. Lui, ora, non era altro che orecchie attente e impaurite.

Qualcosa cigolò e altri passi scivolarono nella stanza.

"Signora, signora! ...Oh, Dio... Vado a chiamare qualcuno..."

"No, no... sto bene, Aderita. Non ti preoccupare..."

"Ma signora..."

"Va', non ti preoccupare."

"Dio mio... Se ha bisogno mi trova in cucina... Dio mio..."

La porta si richiuse.

"Usciamo, usciamo..." sussurrò Luigi.

Pietro sarebbe rimasto lì per sempre, pur di non guardarla.

Luigi si mosse, lasciandogli libere le gambe. Con un piede spinse avanti la sedia e Pietro strisciò con le braccia sotto il petto, tirando fuori prima la testa. Il tappeto gli raschiò i gomiti, la luce lo accecò. Per un attimo richiuse gli occhi e si tirò su. Poi li spalancò e, subito, vide lei, rannicchiata a terra. I sussulti nella schiena per il pianto, i capelli neri sul viso, il rossore sulle braccia scoperte.

Pietro arricciò le dita dei piedi. Il cuore non batteva più, e sentiva freddo.

Sua madre sollevò la testa. Si pulì gli occhi gonfi e fissò lui e Luigi. Il viso bagnato e sporco. La bocca carnosa rotta dal sangue. Il vestito alzato fino a metà gamba.

"Mi dispiace," disse.

Luigi andò alla porta tirandosi dietro Pietro. Lo strattonò una, due, tre volte. I loro piedi sbatterono contro i libri a terra.

Pietro girò la testa senza mai smettere di guardarla.

Lei fece lo stesso.

Lui si mise una mano sulla bocca. Poi, senza respirare, uscì.

10.

La luce usciva da sotto il letto e si stendeva bianca per la stanza. Illuminava le gambe della sedia e del tavolo. Illuminava la cartella poggiata a terra vicino all'armadio. Pietro era steso sul pavimento, su un fianco, la guancia premuta contro il braccio.

Pietro non era solo. C'erano i grilli con lui. Il loro canto entrava dalla finestra e finiva lì sotto, dove i singhiozzi si mischiavano alle parole.

Non va via. Mi morde, mi morde nella pancia ma appena esce la taglio con il mio coltello così muore subito e mi lascia stare per sempre. Appena esce la taglio subito.

Quando papà fa male lui non dice niente, dà i calci e i pugni e quando finisce ha gli occhi piccolissimi e la faccia quasi verde. Con mamma fa più forte che con me. Lei dopo non si muove e non parla e quando viene il dottore dice sempre che è caduta da cavallo ma lui non ci crede per niente.

Gesù, fa' che papà è sempre buono con lei come le volte che le dà i bacetti sul collo e le regala anche i fiori del giardino. Prima quando papà tornava da un viaggio le regalava pure dei gioielli bellissimi che lei si guardava sempre allo specchio, e la faceva ridere moltissimo come la domenica quando il papà e la mamma di

Luigi venivano a mangiare sempre da noi e lui raccontava molte storie divertenti. Adesso i genitori non ci vengono più da noi e lui non va più in viaggio e sta sempre a casa.

Gesù Bambino, fa' che mamma ride. Mamma è bellissima quando ride.

11.

Nino aveva affondato le mani nell'erba e ne aveva catturata una da solo. La prima lucertola che era riuscito a bloccare era anche la più grassa di tutte quante.

Pietro aveva sgranato gli occhi. Era rimasto incredulo davanti a quel fondoschiena che usciva un po' dagli strappi della tuta verde. E a quella barba, strisciata contro il terreno smosso. Aveva guardato Nino accovacciarsi a terra, mentre bestemmiava e diceva le parole più sporche che avesse mai sentito. Poi lo aveva visto rialzarsi con il viso paonazzo e le mani strette.

"Bella grossa! Bella grossa è!" gridò Nino.

Pietro spostò la testa per guardare meglio.

Nino incominciò a corrergli attorno, cantando e ridendo sempre più forte. Poi appoggiò la lucertola sull'asse di legno. Quella corsa gli finì il fiato. Quando parlò le parole uscirono strozzate: "Passami il coltello, dai... passamelo! Non startene lì fermo!" fece con foga.

"È mio il coltello, lo faccio io!"

"Cosa? No, l'ho presa io e lo faccio io. Passamelo subito!"

"No!"

"Guarda che se non me lo dai entro due secondi, lascio la lucertola e metto te al suo posto!"

"Io sono senza coda!" urlò Pietro ridendo.

"Appunto! Vorrà dire che invece della coda ti taglio le orecchie, visto che le hai belle grandi!" Rise di gusto.

Pietro allungò il braccio.

"Grazie!"

"Tu non lo sai fare."

Ecco qua… disse Nino tra sé. Poi si rialzò in piedi, lasciando che la lucertola sgattaiolasse via verso il muro. E continuò: "Cos'hai detto?" facendo dondolare tra le dita il pezzo di carne. "Vieni, andiamo a casa."

Pietro sorrise.

La sistemò nel barattolo rosso che aveva tirato fuori dal comodino con la chiave d'oro.

"Questa è l'ultima. Qui non ce ne entrano più. Domani te ne riempio un altro con l'alcol."

Pietro mise il barattolo controluce. "Sono moltissime."

"Quasi venti."

"Venti… Sono un grande cacciatore io!"

Nino gli prese il barattolo dalle mani. Poi sollevò Pietro da terra. Su, in alto.

Lui si aggrappò a quel collo ruvido, stando attento che la barba non gli finisse dritta negli occhi. Schiacciò il naso contro l'orecchio bollente. Quel caldo lo faceva stare bene e anche la grande pancia di Nino contro le sue gambe. E il suo odore di buono.

"È meglio se usciamo di qua."

"Dopo papà s'arrabbia," disse Pietro. Dall'alto vide sfilare le mattonelle mezze bucate e poi di nuovo l'erba.

Nino lo fece scendere e si sgranchì la schiena.

"Ci è andata bene, per questa volta non ci ha visti… A proposito, dov'è tuo padre?"

"Prima era in camera, è arrivato il dottore per la mamma."

"Sta ancora male?"

"Ha le croste in faccia."

"Mi dispiace tanto..." disse Nino a bassa voce. Poi si voltò verso di lui. "Tu devi starle vicino. Con te guarisce e ritorna bella come quando da ragazza la domenica veniva alla spiaggia e la guardavano tutti. Devi starle vicino, capito? Soprattutto la sera, che è sempre sola."

"Io non posso la sera. Papà vuole che guardo la televisione con lui."

"Tutte le sere?"

"Sì."

"Ti piace guardarla?"

Pietro non rispose.

Nino raccolse un paio di grosse forbici e un lungo sacco di plastica. Si fermarono davanti alle siepi, e quando il giardiniere si alzò in punta di piedi per tagliare, Pietro sussurrò: "A volte fanno vedere il sangue".

Nino aveva appoggiato a terra le forbici per ripulirle dai rami incastrati tra le lame.

"Il sangue?"

"Sì, il sangue cattivo."

"Quale sangue cattivo?"

"Quello vicino agli uomini morti."

"Quello, quando lo vedi, gira la testa dall'altra parte..."

"Papà vuole che lo guardo!"

Nino bestemmiò. Poi le tenaglie ricominciarono a lavorare.

"Io non lo conosco più tuo padre," disse Nino continuando a tagliare. "Ascolta, Pietro... il sangue che vedi è anche di uomini buoni..."

"Di uomini buoni?"

"Sì, di uomini buoni che non hanno colpe."

Nino scrollò le scarpe ricoperte dalle foglie. Bloccò le braccia.

"Tieni. Prova tu," disse offrendogli le grandi forbici.

Pietro perse l'equilibrio solo per un attimo. Nino lo raddrizzò con una mano.

Le due lame affondarono nel legno per poco, poi si bloccarono. Pietro provò ad allargarle. Niente. Tentò ancora, stavolta con più forza. Smise un attimo per riprendere fiato, guardando Nino accovacciato che raccoglieva i rami tagliati. Poi, quando la smorfia della sua bocca divenne irriconoscibile per lo sforzo, le forbici si allargarono all'improvviso, gli sfuggirono di mano e precipitarono ai piedi del boschetto, poco lontano dalla gamba di Nino.

"Qualche anno e diventi un bravo giardiniere."

Pietro e Nino si voltarono di scatto.

In una mano suo padre impugnava l'orologio, facendolo roteare. Nell'altra stringeva una sigaretta. Si avvicinò. "Però è un buon lavoro. Potresti quasi già smettere di andare a scuola," continuò.

Pietro abbassò la testa. Fissò la terra, le foglie, Nino che si rialzava goffamente in piedi.

"Non volevo disturbarvi. Continua pure, Nino."

"Al bambino piace tagliar..." Il vecchio non finì la frase.

"Vieni nel mio studio tra cinque minuti. Ricordati la cartella con i libri, che leggiamo qualcosa insieme." Disse tutto lentamente. Poi si voltò, incamminandosi verso casa.

Il sacco di plastica vuoto si muoveva a terra, scosso dal vento leggero. Pietro lo guardò finire contro la siepe e incastrarsi in un ramo secco e senza foglie.

Poi fissò Nino, stanco e pensieroso.

E corse via, veloce.

12.

Quando Pietro entrò nello studio, l'unica luce accesa era quella della lampada con il cappello bianco. Si rifletteva fioca sulla macchina da scrivere al centro della scrivania e sugli occhiali da vista rotondi che pendevano dal collo di suo padre.

Il fumo era dappertutto.

Pietro richiuse la porta e prima di sedersi guardò per un attimo tra le due rose di legno nel pannello sotto la scrivania. La crepa si vedeva appena.

"Le tenaglie sono pericolose, non voglio che le usi più. E non voglio che passi tutto il tuo tempo con Nino."

Pietro sollevò per un attimo la testa, la riabbassò subito. Appoggiò la cartella a terra, tra le gambe. Poi alzò gli occhi alla Madonna azzurra appesa al muro dietro suo padre. Rideva ed era felice.

"In giardino c'è qualche lucertola con la coda o tutte le hai tagliate?" Un sorriso era disegnato sulle labbra di suo padre, che si era portato le mani unite alla nuca.

"Tutte... tutte le ho tagliate." Strofinò il dito sotto il naso, poi agitò le braccia in aria e aggiunse: "Ce n'è una che ho tagliato che è grossa come tre di quelle piccole. È grandissima e quando l'ho tagliata Luigi ha detto che è la più grossa che ha visto mai!".

"Allora ti ho insegnato bene a tagliarle!"

Pietro annuì e intanto rideva.

"E il coltello che ti ho regalato funziona bene?"

"Sì! Luigi ha detto che ne vuole anche lui uno così bello!"

Suo padre aprì l'orologio che pendeva dal taschino della camicia. "Hai fatto merenda?"

"Ancora no," rispose, seguendo con lo sguardo la mano di suo padre mentre accendeva la vecchia radio.

"La conosci questa?"

La radio suonava una canzone, era straniera e molto noiosa perché le parole sembravano sempre uguali e anche la musica.

"È il jazz. Lo suonano i neri in America. Ti piace?" Pietro annuì e guardò suo padre che intanto si era alzato. Era andato a prendere un piatto coperto da un fazzoletto di carta, sul tavolino a fianco del divano con le gambe da cane.

Lo scoprì in mezzo alla scrivania.

"L'ha fatta Aderita, è alle arance... la mia preferita. Senti che profumo, è ancora tiepida."

La preferita di Pietro invece era la crostata alle fragole. Alle arance non gli piaceva tanto perché la marmellata era un po' amara.

"Ne vuoi?" Suo padre se ne portò un pezzo alla bocca, tenendo la mano libera sotto il mento.

Pietro scelse lo spicchio più piccolo, la marmellata brillò sotto la luce. Diede un morso, con le briciole che cadevano sopra la scrivania e sopra la cartellina di pelle verde. Cercò subito di raccoglierle.

"Non ti preoccupare... dopo pulisco io." Suo padre sorrise e finì l'ultimo pezzetto di crostata.

"Che libri hai portato?" fece sistemando la sedia di fianco a quella del figlio e prendendo la cartella ai piedi della scrivania.

"Aritmetica e italiano."

"La leggiamo una poesia?" disse suo padre e aprì la cartella sulle ginocchia. Tirò fuori il libro rosso.

Pietro appoggiò la fetta della crostata in un angolo del tavolo. Poi avvicinò la sedia a quella di suo padre.

"Allora vediamo, questa non l'hai ancora fatta perché è da più grandi... però la prima strofa mi piace molto..."

Pietro cominciò a leggere: "Il giorno fu pieno di lampi; ma ora verranno le stelle, le tacite stelle. Nei campi c'è un breve gre gre di ranelle. Le tremule foglie dei pioppi trascorre una gioia leggiera. Nel giorno, che lampi! Che scoppi! Che pace, la sera!".

"È bella, vero?"

"Sì," disse Pietro. "Mi piacciono i lampi a me."

"Davvero? Quando ero bambino, a me i lampi e i tuoni mi facevano paura. Quando fuori c'era il temporale mi infilavo sotto le coperte e ci rimanevo fin quando non finiva! E c'era sempre Nino dietro la porta a farmi le voci strane."

Pietro sorrise. Vide suo padre alzarsi, ritornare dietro la scrivania e chinarsi davanti ai cassetti. Ne fece scorrere uno. Poi si sedette di nuovo al suo fianco.

"Leggiamone un'altra. Sceglila tu."

Pietro lesse la poesia che aveva segnato con un cerchio alla pagina 27. Parlava d'amore e la maestra l'aveva letta in classe un po' di tempo prima. Era la storia di un ragazzo e di una ragazza che si erano innamorati un giorno di primavera in bicicletta. Il ragazzo diceva che lei era come una rosa, come un sole. Usava parole gentili e anche molto tristi perché lei adesso era lontana.

Quando finì di leggerla, Pietro pensò al ragazzo triste senza la sua innamorata. Pensò che se si amavano davvero, prima o poi si incontravano di nuovo e rimanevano insieme per sempre. Li vide che si sposavano, lei con un vestito tutto bianco che strisciava a terra e il velo lungo come quello di sua madre nella foto sul comò.

Una boccata di fumo lo raggiunse. Tossì, chinando la testa tra le gambe.

"Questa è per te," disse suo padre.

Pietro tornò con gli occhi al libro, la poesia del ragazzo innamorato era coperta. Adesso c'era una busta lì sopra.

"È per Carmine. Domani ci vai, a papà?"

Pietro guardò la bocca sottile di suo padre che sorrideva. Si sentì accarezzare sulle spalle e sulla testa.

Annuì e senza dire nulla afferrò la busta e la inserì in un'altra pagina. Una pagina lontana da quella del ragazzo innamorato.

13.

Il suono sordo degli zoccoli di Toni scese le scale con loro. Ogni passo tamburellava secco frustando contro il cemento scrostato.

La porta di legno marcio era già aperta: quando se ne accorse, Toni ordinò loro di fermarsi e aspettare che lui andasse a vedere. Subito dopo fece loro cenno di entrare nelle cantine. Fu Luigi a richiudere la porta dietro di loro.

L'umido vivo di quel posto lo investì. Sentì la frescura avvolgergli il collo, la testa, tutto il corpo. La giacchetta in nylon era rimasta a casa. Perché fuori, questa volta, non pioveva. C'era il sole.

Toni li precedeva e camminava veloce, raschiando a tratti la voce impastata e rauca. Sputò e il fiotto di saliva colpì il pavimento mischiandosi alla polvere. Quando ci passò davanti, Pietro lo vide, era di un verde acceso e denso. Alzò subito gli occhi, verso una di quelle minuscole stanze numerate che sfilavano a destra e a sinistra. C'erano bottiglie nere e bottiglie verdi: di vetro, vuote, ammassate e rotte sopra fogli di giornale ingialliti. E poi damigiane, ruote di bicicletta, vestiti sporchi, barattoli di latta rovesciati. In altre solo muri scrostati e vuoto. Ancora qualche mobile spaccato e rovesciato. E fetore.

Voltarono l'angolo, si schiacciarono alla parete per non toccare l'alveare.

Toni si infilò nell'ultima stanza, quella segnata dalla lettera L e il numero 8 e uscì con la palla rossa tra le mani. La passò al figlio, poi la chiave ruotò nella serratura. Da fuori, entrò il bagliore.

Pietro si tolse subito la luce dagli occhi e quando abbassò le mani vide la faccia appuntita dell'uomo che quasi lo sfiorava. Lo stava fissando mentre parlava lentamente, bagnandosi le labbra a ogni parola. Sembrava che avesse gli occhi tutti bianchi. La bocca era un buco nero che scopriva a tratti i denti gialli e storti. La mano d'ossa di Toni si appoggiò per un attimo sulla sua guancia, era fredda e liscia. Sembrava quella di un morto.

Toni si allontanò, loro lo sentirono andare via pian piano.

Luigi gli fece cenno di non parlare. Tornò indietro, oltre la colonna, da dove poteva spiare il corridoio. Riapparve soddisfatto.

"È salito a casa!"

Pietro si voltò, spalancando la porta. Fece un passo ed entrò nella luce del sole. Salì il primo gradino, poi si sentì strattonare.

"Facciamolo qui. Fuori è pericoloso! Facciamolo qui dentro!" disse Luigi stringendogli la spalla.

"Se papà lo scopre si arrabbia!" fece Pietro.

"Non lo scopre, è un segreto mio e tuo."

"Carmine vede che la busta non è nuova!"

"Non lo vede per niente. Guarda." Luigi infilò una mano nella tasca dei pantaloni. Tirò fuori un tubetto di plastica bianca come quello del dentifricio.

"L'ho comprata con i soldi che sono rimasti dalla spesa. Due giorni fa."

"Che cos'è?" chiese Pietro.

Luigi rientrò nell'ombra delle cantine.

Pietro lo seguì, lasciando la porta aperta.

"Colla. La spalmiamo con questo," disse, mostrandogli uno stecco da gelato.

"Se si apre si rovina!"

"Facciamolo con il tuo coltello, così non si rovina."

"Ce l'ho!"

"Ce l'hai sempre."

Pietro si fermò. Poi avanzò di poco, e afferrò la maniglia della porta di ferro. Tirò verso di sé con tutte le sue forze. I cardini cigolarono in un lamento teso che tacque solo quando la porta si chiuse. E il buio li divorò.

Si sfilò i lacci della cartella. Luigi lo aiutò, se la caricò su di sé e disse: "Andiamo dietro il mobile bucato".

Tornarono indietro, fino alla cantina D4. Entrarono e trovarono solo polvere e intonaco crollato a terra. E poi, spostata a destra della stanza, una cassapanca mangiata dai tarli.

Luigi si avvicinò al mobile e pulì il ripiano con un fazzoletto che prese dalla tasca dei pantaloni. Ci appoggiò sopra la cartella.

"Facciamo tardi e dopo Carmine s'arrabbia..."

"No, oggi eri in anticipo. Abbiamo ancora tempo," disse Luigi con le dita sul lucchetto.

Pietro tolse via quelle mani troppo veloci. Raddrizzò la cartella e l'aprì. Poi estrasse il sussidiario rosso e fece scorrere le pagine.

Luigi si spostò per vedere meglio. "Eccola!" esclamò.

La busta era esattamente a metà. Schiacciata sotto il peso delle pagine, piatta, senza una piega.

La prese e la sollevò.

Pietro ne aveva toccata una solo l'ultima volta, quando era passata dalle sue mani a quelle perfette di Carmine. Era rigida ma leggera e con la carta ruvida.

Quella di oggi era uguale alle altre. Identica.

La busta tremava assieme alle braccia di Pietro.

Luigi la guardò attento. La fissò ancora. "È spessa. La carta è troppo spessa. Alla luce non si vede," disse.

"Alla luce?" chiese Pietro.

"Sì, alla luce. Quando si mette una busta contro la luce, la carta diventa trasparente e si vede cosa c'è dentro. Però la carta deve essere sottile se no non si vede niente. Questa carta è troppo grossa. Ci vuole il coltello."

"La appoggio..." disse Pietro voltandosi verso Luigi.

"Sì, mettila dove c'è pulito. Apri il coltello."

Pietro frugò nelle tasche e trovò quel che cercava. Fece ruotare la lama.

"È tardi. Carmine s'arrabbia."

"Macché tardi."

Guardò la busta appoggiata sulla cassapanca. Avvicinò il coltello alla carta, nel punto dove era stata incollata. La mano tremava, sempre più forte. Dovette tenerla ferma.

"Mi trema la mano."

"Faccio io?"

Luigi voleva usare il suo coltello. Voleva togliere la colla dalla lettera di suo padre e aprirla. Voleva leggerla per primo. E solo per via di quella mano che non voleva stare ferma.

Pietro riprovò.

"Non dobbiamo romperla. Faccio io?" disse Luigi. Con la lama in mano, Luigi si scostò i capelli dalla fronte sudata. Sfiorò la busta con un dito, poi l'accarezzò.

"Togli la colla, togli la colla!" disse Pietro.

La punta del coltello toccò il risvolto. Si infilò ferma tra i due lembi di carta, staccandoli appena.

"Non la rompere!"

Luigi si avventò sulla busta, la lingua di fuori.

Il coltello scomparve nei pochi millimetri senza colla.

Luigi si piegò di poco sulle gambe. Poi spinse la mano di lato: le due ali della busta iniziarono a separarsi, millimetro dopo millimetro, mentre la lama camminava indisturbata, scontrandosi con la colla rimasta.

Pietro restò tutto il tempo in punta di piedi, con le dita che premevano sulle guance.

"Fatto!" E già le mani di Luigi erano sulla busta aperta.

"No! Faccio io, faccio io!" Pietro l'afferrò, costringendo l'amico a spostarsi.

"Fa' vedere anche me!" disse Luigi.

La mano di Pietro entrò dentro, strisciando contro l'interno della busta. Toccò alcuni pezzi di carta. Strinse tutto tra le dita e tirò fuori ogni cosa.

Il petto di Luigi premeva contro la sua spalla. Il respiro divenne silenzioso. "Ecco… ecco!" sussurrò mentre i suoi occhi si facevano grandi e voraci.

Un foglio bianco, più piccolo. Poi quattro banconote piegate a metà.

Una cadde. Finì a terra, ai piedi della cassapanca, tra la polvere.

Era piegata in due. Un po' verde, un po' marrone e bianca e al centro un vecchio signore con la barba.

Luigi si abbassò immediatamente e la raccolse.

"Centomila lire!" fece eccitato. Poi la aprì per intero. "Non le avevo viste mai…"

"E ce ne sono altre tre uguali!" esclamò Pietro.

Le guardarono insieme. Quattro banconote da

centomila lire. Spiegate erano grandi quasi più della busta.

"Centomila per quattro fa quattrocentomila lire..." ripeteva Luigi.

Lasciarono i soldi stesi sul mobile. Uno accanto all'altro.

Per un attimo Pietro restò a guardare il foglietto che gli era rimasto in mano.

Era bianco. Bianco e vuoto. Il loro sguardo corse per tutta la carta chiara e ruvida. Corse veloce fino all'angolo in alto a sinistra: lì, due parole, scritte a macchina. Pietro le lesse: "Augusto Mitiello".

Lo ripeté: "Augusto Mitiello".

In fondo, a destra, un'altra scritta. Una frase breve, ai margini: "Che Dio ci protegga e benedica sempre". Anch'essa a macchina.

Pietro girò il foglio: solo il bianco della carta opaca.

Rilesse ancora una volta: "Augusto Mitiello". Fece scorrere i suoi occhi fino in fondo: "Che Dio ci protegga e benedica sempre".

Luigi ripeté le stesse parole a voce più alta.

"C'è scritto solo un nome e una frase," disse Pietro sorpreso.

"È una lettera strana."

Luigi se ne restò in piedi. Prese il biglietto dalla mano di Pietro. Lo guardò bene e disse: "Conosci qualcuno che si chiama Augusto Mitiello?".

Pietro ci pensò su, poi fece cenno di no. Aggiunse: "Forse è un amico di papà".

"Forse. Io non conosco nessuno con quel nome."

"Sono sicuro che i soldi sono per lui... è un regalo che papà fa ad Augusto Mitiello."

"Allora è un regalo grandissimo! Sono molti soldi, deve essere un grande amico di tuo padre, questo Augusto Mitiello," fece Luigi ripiegandoli.

"Che ci compri con quattrocentomila lire?" domandò Pietro.

"Ci compri una moto... oppure metà di una macchina bellissima."

"Una macchina?"

"Sì, come quella di tuo padre. Oppure ci compri un po' di casa mia," spiegò Luigi facendo frusciare le banconote vicino all'orecchio.

"Forse Augusto Mitiello è povero e papà lo aiuta."

"Forse sì."

"Forse Augusto Mitiello è amico anche di Carmine e i soldi li va a prendere a casa sua."

Luigi non disse nulla.

Pietro finì di sistemare i soldi nella busta.

"No, aspetta," disse Luigi. "Il foglio bianco va messo prima di tutto. E i soldi vanno piegati a metà. Così..."

Quando tutto fu di nuovo dentro, Luigi estrasse dai pantaloni la colla e lo stecco di legno.

Pietro si scansò a lato del mobile.

"Non devo mettere troppa colla, sennò la carta si appiccica tutta e non sembra più nuova." Ne distese una piccola quantità sul bastoncino e la spalmò dove prima l'aveva tolta. E ancora e ancora. Poi premette sopra il risvolto della busta, facendo uscire una goccia di colla ancora fresca.

"No! Si è macchiata!" fece Pietro con le mani sulla bocca.

Luigi asciugò la carta con un angolo della sua maglia. Rimase solo un minuscolo alone scuro che andava via via schiarendosi.

"La macchia c'è ancora," disse Pietro.

"Non è vero, se ne è andata quasi tutta. Carmine non se ne accorgerà per niente..."

Luigi ci soffiò sopra così tanto che diventò paonazzo.

Poi tutto ritornò come prima. La colla era sulla carta, la busta nel libro, il libro nella cartella. La cartella ancora sulle spalle di Pietro.

Tutti e due rividero il corridoio, la porta di ferro, il sentiero tra gli orti, la palazzina verde.

Tutti e due rividero Carmine. Ma solo Pietro entrò in casa. Lo ascoltò parlare, lo osservò muoversi, mangiare. Lo guardò prendere tra le mani la busta e studiarla. Girarsi e aprirla. E poi urlare solo un po'.

Per tutto quel tempo restò seduto con la cartella che pesava sulle gambe. Non fece niente, non disse nulla. Aveva solo quelle due parole dentro: Augusto Mitiello.

14.

Pietro occupava i suoi giorni guidando la Bianca in tutti i posti del mondo. L'aveva fatta andare molto veloce e spesso era passato a prendere Nino alla piccola casa. Insieme erano arrivati dritti dritti fino al mare e qualche volta in cima al vulcano dove il fuoco era molto pericoloso perché saltava alto. Gli uomini al cancello li avevano visti uscire sia di giorno sia di notte, ma ormai erano diventati suoi amici e un segreto lo sapevano mantenere.

Luigi lo era andato a trovare un giorno solo, quando era venuto a fare i compiti da lui. Non avevano aperto nessun libro, perché per tutto il tempo avevano parlato di Augusto Mitiello e di cosa poteva essersi comprato con tutti quei soldi.

E poi c'era quel pomeriggio che Pietro stava passando seduto sul pavimento del vecchio garage. Si era fatto dare da Aderita uno straccio che nessuno usava più e per metà aveva riempito d'acqua calda un secchio che Nino gli aveva prestato. L'aveva trasportato da solo fino a lì, fino al vecchio garage. Poi si era accovacciato, col sedere che sfiorava le mattonelle un po' bucate. Lo straccio bagnato era diventato subito molto pesante ma era bastato strizzarlo appena per renderlo leggerissimo e subito dopo, quando aveva iniziato a passarlo sui cerchioni delle ruote, era come se qualcuno avesse acceso una grande luce proprio dentro il metallo: brillavano, le ruote della Bianca stavano brillando!

Allora ci aveva messo più di un'ora per pulirne una sola e quando si era allontanato per vederla meglio aveva capito che solo così la Bianca poteva andare velocissima, solo con quelle ruote accese poteva arrivare a Roma in un solo minuto.

"Ne mancano ancora tre!" si era sentito dire all'improvviso. E appena fuori del vecchio garage c'era lui, c'era suo padre. Subito si era avvicinato e gli aveva preso lo straccio dal secchio. Lo aveva strizzato con una sola mano e aveva aperto la cassetta degli attrezzi da meccanico nell'angolo della stanza. Era tornato con un panno piccolo e di pelle lucida.

"Tieni, con questo le asciughi," aveva detto poi.

Pietro era rimasto con il nuovo straccio nelle mani a fissare suo padre che si sfilava il panciotto e si arrotolava le maniche della camicia. Poi lo aveva visto avvicinare il secchio alla ruota sporca. "Mi fai lavorare solo a me? Devi asciugare!"

Così lui era scattato al suo fianco e aveva passato il panno dove suo padre aveva già iniziato a strofinare. E mentre cercava di togliere tutta l'acqua possibile dalla terza ruota, Pietro si era sentito dire che quando fosse stato più grande la Bianca sarebbe diventata solo sua.

"Tutta mia?" aveva chiesto.

"Sei il migliore aiutante che c'è... quando sei più grande la guidi solo tu. Così porti in giro la tua fidanzata..."

Pietro era rimasto perplesso. "E Luigi?"

"Anche Luigi. Però è più bello portare in giro la fidanzata... non la vuoi tu una fidanzata?"

"Sì, la voglio io."

"E come dev'essere la tua fidanzata?"

"Bella… come mamma, bella come lei. Con i capelli profumati e lunghi."

Suo padre aveva riso, e con il secchio si era spostato davanti all'ultima ruota rimasta. "E poi?"

"La voglio che ride sempre. Tu ce la porti mamma con la Bianca?"

"Una volta la portavo. Però lei aveva paura… si teneva stretta alla mia spalla e urlava un po'. Asciuga!"

Lui si era messo a strofinare con forza. "Tu vai veloce papà?"

"Sì, mi piaceva andare molto veloce. E fare le curve strette così mamma mi finiva addosso…"

"E mamma rideva?"

"Rideva sempre e mi diceva che guidavo malissimo perché ero troppo veloce." Si era alzato in piedi e si stava strofinando le mani bagnate in un panno che aveva preso dalla cassetta degli attrezzi.

"Anche io vado velocissimo e ci sono delle volte che vado così veloce che arrivo al mare in un minuto!"

"Ma allora sei il più grande pilota del mondo!"

Pietro aveva annuito mentre suo padre si era appoggiato il panciotto su una spalla ed era uscito dal vecchio garage.

"Non fare tardi, che poi ci guardiamo la signorina io e te…" gli aveva detto poi.

"Ora fa' silenzio!"

Suo padre spense la luce. Adesso il buio era interrotto solo dai bagliori delle immagini e il suo viso si vedeva solo a tratti.

Pietro si voltò, e cercò riparo dal fumo infilando la testa tra lo schienale e il bracciolo destro. Respirò a fondo per pochi secondi poi si mosse un po', perché la gamba era indolenzita, evitando che la pelle scricchiolante della poltrona lo tradisse. Tossì più volte.

"Fa' silenzio..."

Suo padre si alzò in piedi e andò alla televisione, girò una manopola e il volume divenne più alto.

La signorina scomparve. Al suo posto, alcuni bambini ridevano e giocavano rincorrendosi. Una macchina, brutta e vecchia, correva veloce. Un momento dopo, un uomo con in mano dei biscotti lo guardava felice. Altri bambini mangiavano gli stessi biscotti. La musica e le voci erano dappertutto.

Poi, ogni cosa diventò scura. E nera.

La signorina ritornò, e gli sorrise. Pietro la fissò, con la schiena che scivolava molle sulla poltrona, mentre la sua voce forte e acuta rimbombava nella sala.

"Vai ad abbassare un po'," gli ordinò suo padre.

Pietro girò per un attimo la manopola dalla parte sbagliata.

"Abbassare, non alzare!"

Lui si corresse subito: la signorina, da quel momento in poi, parlò un po' più piano. Disse molte cose. Cose complicate e serie, frasi difficili che sfuggivano e scivolavano via.

Da ieri notte il quartiere di...
...sconvolto per l'ennesimo...
...verso le due e trenta, in questa zona omicidi, si è...
...regolamento di conti...
...pistola che...
...una Cinquecento gialla e hanno ucciso Augusto Mitiello, uomo di trentotto...
...Mitiello infatti era già stato condannato...
...lascia la moglie e...
...bambini. Il funerale...

Pietro non ascoltò nient'altro. Quel nome e cognome gli si appoggiarono addosso occupando ogni centimetro di pelle.

La signorina scomparve. Ora, davanti a lui c'erano una strada e molti uomini. C'erano le macchine fotografiche e le luci bianche. Un'automobile rotta e bucata. E un uomo, con la testa appoggiata sul volante. E il sangue sul sedile.

Le immagini passavano una dietro l'altra. Sopra di loro una voce di uomo correva rapida:

Freddato da due sicari, Augusto Mitiello stava guidando in direzione...

Lentamente, si voltò verso suo padre. Fumava.

Lo guardò appoggiare la sigaretta nel portacenere sopra il bracciolo, poi farsi il segno della croce.

"È morto..." sussurrò Pietro.

Papà non dice niente, papà non piange neanche di nascosto. Domani glielo dico a Nino che è morto un amico di papà, glielo dico anche se è un segreto perché tanto lui non lo dice a nessuno. Gesù Bambino, ti prego, di' una preghiera per Augusto Mitiello, magari anche due.

15.

I biscotti all'uvetta erano rimasti tutti lì, nel piattino azzurro al centro del tavolo. Pietro non aveva toccato neanche il latte freddo con il miele. Se n'era andato quasi subito, appena Aderita gli aveva portato via da sotto gli occhi la tazza tutta piena. "Non è un guaio grande se non ti va," aveva detto lei mentre gli strizzava l'occhio. Così lui era scattato in piedi e aveva camminato fino alla canzone che sua madre faceva suonare in salotto. Lei la cantava senza voce, muovendo le labbra e un po' le mani. Si era fermata solo quando lo aveva visto fissarla; gli aveva fatto segno di andare da lei, ma Pietro non l'aveva ascoltata. Era schizzato fuori, le scarpe che battevano sulla ghiaia accanto alla fontana e sull'erba verde vicino alle siepi. Correva, e mentre si avvicinava alla piccola casa, i suoi occhi andavano dappertutto: all'entrata della stalla e ai gerani, al boschetto tagliato e verso l'edera intorno al pozzo. Poi si era bloccato all'improvviso, quando aveva notato che tutto, alla piccola casa, era diverso.

"Nino!" gridò che i pugni picchiavano sulla porta chiusa. "Nino! Nino! Apri!" La porta non era quella di vetro e legno. Era quella tutta scura e nera che rimaneva sempre aperta e incastrata contro i due vasi di basilico.

"Nino!" Pietro guardò la finestra che non c'era più. Si era trasformata in un quadrato di legno senza fessure.

"Apri, sono Pietro!" Fece il giro della casa. Andò alla porta dietro, alla finestra della camera da letto e a quella del ripostiglio. Non c'erano più, erano solo legno. Andò a quella del bagno e vide che era normale. Cominciò a saltare e a saltare ma dentro c'era solamente il buio. "Nino!" Si piegò, con il respiro che gli raschiava la gola. Poi alzò la testa e nell'angolo, vicino al telo di plastica per la grandine, si accorse che il rastrello e tutti gli altri attrezzi erano raccolti da un fil di ferro. C'erano anche le tenaglie, appoggiate alla sedia color pistacchio. C'erano i secchi, uno dentro l'altro, che facevano una pila altissima.

Corse ancora. Giù per la discesa fino all'orto, in mezzo ai limoni e alle file ordinate di aranci. Passò tra gli alberi del bosco dove ogni tanto aveva visto Nino appoggiarsi a un tronco e sbucciarsi una mela. Ripartì e attraversò tutto il giardino finché arrivò al vecchio garage: la Bianca dormiva sotto il telo nero. "Non c'è Nino," disse appoggiandosi una mano sulla pancia.

Tornò alla fontana e salì le gradinate di casa. Sua madre era all'entrata, lo accarezzò e si chinò su di lui.

"Non c'è Nino! Non c'è in nessun posto! La sua casa è tutta chiusa con la chiave e non ci sono più le finestre!" disse Pietro tutto d'un fiato. "E non c'è nemmeno nell'orto e dalla Bianca! Non c'è da nessuna parte!"

"È andato in vacanza..." Sua madre lo stava stringendo a sé.

"Quando è andato in vacanza? Quando?"

"Ha preso il treno questa notte..."

"Il treno di notte... Quando torna Nino?"

"Non lo so, amore. Torna quando si è riposato perché è molto stanco."

"Perché… perché non l'ha detto a me che andava in vacanza? In vacanza ci andiamo con la Bianca io e lui e viene anche Luigi!" Pietro fece un passo indietro.

Sua madre cercò ancora di stringerlo. "Amore…"

"Non mi ha detto niente!" E già scendeva la grande scalinata, filando veloce verso il vecchio garage.

Senza di me e senza la Bianca.

16.

Anche se c'erano gli uomini del cancello, a lei non importava. Pietro sentì sua madre intonare una di quelle canzoni che sapeva di meno, ma che canticchiava anche senza conoscere tutte le parole a memoria. Era la canzone di quella signora con la gonna corta e i capelli pettinati alti che aveva visto qualche volta in televisione e che poteva cantare prima molto piano e un secondo dopo fortissimo.

I due uomini restarono in silenzio, con i cappelli tra le mani e la faccia rivolta verso il finestrino.

Pietro rimase muto. Abbracciò la cartella appoggiata sulle sue gambe e posò gli occhi sulla loro cintura. Dentro la scatola di pelle nera c'erano le manette. Le aveva viste nei film e quando bisognava arrestare qualcuno bastava tirarle fuori e farle scattare sui polsi. Era facile, in due mosse catturavi ogni ladro.

Gli occhi a topo di Toni lo fissavano stanchi.

"È a posto. Andiamo," disse.

Per la maggior parte del tempo che Pietro fu nella loro casa, la madre di Luigi rimase davanti alla porta della cucina a guardarli. Schiacciata allo stipite, continuò ad asciugare lo stesso bicchiere finché Toni non la vide e s'infuriò. Lei se ne andò veloce in un'altra stanza, dopo aver baciato il figlio. Era una donna dai movimenti poco eleganti, con il mento a punta e le guance scarne. La sua eccessiva magrezza dava l'impressione che qualche osso, prima o poi, avrebbe bucato quella pelle bianca e tirata. Ma a Pietro piaceva, per la sua gentilezza, per le sue carezze, per come lo guardava. Lei e sua mamma sarebbero diventate migliori amiche se avessero continuato a vedersi. Purtroppo da quando gli uomini al cancello erano arrivati, la madre di Luigi non era più andata a trovare la sua.

Scesero i quattro piani di scale in silenzio, come sempre. Proprio all'ultima rampa di gradini si dovettero fermare, per far passare una vecchia donna che faticava con due borse della spesa tra le mani. Toni fece un cenno di saluto con la testa. Lei non ricambiò.

Scivolarono nelle cantine rigidi e silenziosi con Toni che controllava, ispezionava, ordinava. E loro due che eseguivano, non parlavano, aspettavano.

Quando Toni li lasciò, Luigi si assicurò che suo padre fosse scomparso davvero dal corridoio.

"È andato via. Vieni! Vieni!" esclamò a bassa voce.

Pietro camminò rapido. Superò l'alveare e vide Luigi, di poco avanti, infilarsi nella cantina D4. Corse veloce, entrò e lo guardò strofinare la cassapanca bucata. Lo faceva con le mani, con un lembo della sua maglia, con il braccio.

Poi Luigi si voltò: "Il coltello l'ho preso io, dalla cucina. Con quelli della cucina è meglio..." disse.

Pietro mostrò il suo. "Il mio è meglio!"

"No, il tuo ha la lama troppo corta e spessa. Ci vuole una lama lunga e sottile. Così non rompiamo la busta!"

"Con il mio non si rompe!"

"L'altra volta non si è rotta per poco. È meglio questo." Luigi lo tirò fuori: il manico era bianco, di quelli che si usano a tavola.

Pietro rimise via il suo, schiacciandolo contro il fondo della tasca. E improvvisamente scoppiò: "Tu l'hai visto Augusto Mitiello alla televisione?".

"Sì, era morto. Ma non lo hanno fatto vedere perché era sotto il lenzuolo bianco."

"Mio papà non ha detto niente quando ha visto che era morto," fece Pietro. E aggiunse: "Mio papà non ha pianto".

"Il mio... il mio si è messo a ridere e ha bestemmiato."

"Perché?"

Ci fu silenzio. Luigi non rispose, fissò la cartella ancora appesa alle spalle di Pietro. Di scatto gliela levò, appoggiandola sul ripiano del mobile. Le sue piccole dita si scagliarono sul lucchetto.

Per tutto il tempo, Pietro tenne il coltello in mano. Lo stringeva così tanto che il palmo e le dita cominciarono a sudare. Non poteva fare altro. I gesti lenti e precisi di Luigi erano così sicuri che non c'era bisogno di niente.

Continuava a guardare quel braccio fermo che guidava la lama tra la carta. Mancava un piccolo lembo a sinistra. Giusto quei millimetri di colla che restavano.

"Fatto!" Luigi appoggiò il coltello sul mobile e si asciugò la fronte sulla spalla.

Pietro non riuscì a dir nulla che subito Luigi aveva tirato fuori ogni cosa dalla busta. C'erano lo stesso foglietto e le quattro banconote verdi con il vecchio signore con la barba.

"I soldi sono uguali!" fece Luigi.

"Fa' vedere anche a me!" scattò Pietro in un secondo.

"Sono uguali... Quattro biglietti da centomila..."

I loro visi si schiacciarono al foglietto: non c'erano scritte a penna. Solo un nome scritto a macchina e una frase. Nove parole in tutto. "Giovanni Logiusto, Che Dio ci protegga e benedica sempre."

"Lo conosci Giovanni Logiusto?" chiese Luigi.

"Io no, per niente. Tu?"

"No. Ma chi sono questi qua?"

"Sono tutti amici di papà. Uno è pure morto."

"Chissà dove sono finite tutte le quattrocentomila lire dopo che è morto..." disse Luigi grattandosi la testa.

"Forse sono rimaste ai figli poveri di Augusto Mitiello." Pietro rimase pensieroso.

"O forse se le è tenute tutte Carmine. Sbrighiamoci che è tardi!"

Le gambe di Luigi si mossero così veloci che scivolarono sui gradini della piccola scala.

La palla rotolò, sbattendo contro un mucchio di macerie al centro della stradina.

"Siamo un po' in ritardo," disse il figlio del pasticcere pulendosi le ginocchia sporche.

"S'arrabbia, questa volta s'arrabbia Carmine!"

Il tempo che avevano perso era servito per fare un buon lavoro. La busta era come nuova. Non c'erano state macchie e tagli. Per riuscirci, però, avevano dovuto fermarsi là sotto per troppo.

Sentirono l'aria calda in faccia e la ghiaia schizzare dalle loro scarpe. Sentirono i cuori scoppiare, mentre i recinti degli orti sfilavano ai loro lati come soldati sull'attenti.

Pietro era avanti, Luigi quasi attaccato. La cartella gli ballava sopra la schiena. Sentiva la fretta spingergli sulle tempie e confondergli il ricordo di quel nuovo nome.

Si bloccò alla fine del sentiero. Al di là della ringhiera arrugginita c'era Nino, fermo davanti a una delle macchine parcheggiate ai margini della via.

Li guardò per pochi secondi, poi camminò lento e trascinato come al solito. Arrivò a ridosso della ringhiera, allungando la mano tozza verso di loro.

Nessuno dei due si fece aiutare. Pietro scavalcò in un baleno, come non era mai riuscito a fare.

"Ciao, Nino!" esclamò Luigi.

"Non urlare, non si urla in città..." disse l'uomo sorridendo.

"Oggi siamo in ritardo," fece Luigi indicando con un dito l'orologio che non aveva al polso.

"È da un po' che non vi vedo, a voi due."

"Da un po'?" chiese Luigi, guardando Pietro.

"Sono in vacanza... Non te l'ha detto Pietro?" fece Nino a Luigi.

"Perché non mi hai avvertito che andavi in vacanza?" sbuffò Pietro, scostandosi da dietro la spalla di Luigi.

"Non l'ho detto perché non lo sapevo che andavo in vacanza."

"Non è vero, lo sapevi. Hai preso il treno, il treno di notte! Lo sapevi!"

"Non ne ho presi di treni. Mi vedi, sono ancora qui, non sono partito."

Senza tuta verde, in pantaloni chiari e maglia nera, Nino sembrava strano.

"Dove hai messo le mie code? La casa è chiusa, è tutto chiuso e non si può entrare!"

"Il barattolo è dentro il vaso vuoto, sotto il telo, fuori."

"Come hai fatto a sapere che oggi eravamo qui?" intervenne Luigi.

"Ho visto la macchina verde parcheggiata davanti al tuo palazzo."

Nino avanzò, si chinò davanti a Pietro e con una mano gli accarezzò la testa.

"Ci sei andato al mare? E sul monte ci sei andato o no?"

Prima di rispondere Pietro ripensò alle parole che suo padre gli ripeteva sempre: "I bambini coraggiosi non piangono, non piangono per niente".

"Sì."

"E vai veloce?"

"Sì, vado molto, molto veloce."

"E dove sei andato?"

"Prima al mare e poi sul vulcano."

"Anche io voglio venirci, anche io!" disse Nino.

Non scesero. Le lacrime che aveva proprio là, sopra gli occhi, non si azzardarono a cadere e a farsi vedere. Fu lui che ordinò loro di rimanere lassù e di non muoversi. Arricciò le dita dei piedi e cercò di non guardare gli occhi buoni del vecchio. Inchiodò lo sguardo sull'argento della barba, su alcuni fili un po' più neri degli altri.

"E il barattolo nuovo è già pieno?"

"No, tra poco sì però."

"Mi sa proprio che devo venire a prenderne qualcuna io di lucertola, perché con te non si riempie!"

Pietro rise. "No, io sono un bravo cacciatore!"

"È tardi," disse Luigi portando lo sguardo al palazzo verde. Poi rimase come paralizzato, continuando a guardare in fondo alla via. E subito sussurrò: "È sul terrazzo, è sul terrazzo. Ci guarda. Muoviti Pietro, andiamo!".

"Andate che se no qualcuno s'arrabbia," fece Nino senza sorriso.

Pietro guardò solo il giardiniere. Non si voltò mai. Restò incantato alla barba bianca che quasi lo toccava. Poi quelle mani ruvide lo avvolsero. Sentì l'odore di piccola casa e di giardino. Sentì che la cosa si era fermata. Rimase fermo, catturato da quella forza buona e non gli importò più se gli occhi lasciavano cadere qualche lacrima, perché tanto nessuno le vedeva.

"Quando torni?" sussurrò nell'orecchio a Nino.

"Quando le vacanze finiscono."

Pietro si strofinò l'indice sotto il naso, poi tirò Luigi per un braccio e gli disse di muoversi. Così la cartella ricominciò a sbattere contro le sue spalle, mentre le gambe lo portavano verso il fondo della strada. Lì, proprio di fronte al verde della palazzina, Pietro alzò gli occhi fino al terrazzino del terzo piano che dava sulla strada. Lo vide, con le sue mani bianche appoggiate alla balaustra: Carmine lo stava fissando.

Luigi dice che Carmine oggi ci ha visto che io e lui parlavamo con Nino. Dice che ci ha visti di sicuro ma Carmine non ha detto niente di Nino quando io ero nella sua casa. Ha aperto la busta e non ha neanche urlato. Mi ha detto: "Saluta papà e riferisci che l'erba è troppo alta".

Gesù, io ho riferito a papà ma lui non ha detto niente e si è acceso una sigaretta. Volevo chiedergli perché l'erba è troppo alta ma poi sono stato zitto perché avevo paura che s'arrabbiava moltissimo.

17.

La piccola casa era sempre rimasta chiusa a chiave. Quello che era cambiato di giorno in giorno era stato il peso del barattolo. Pietro aveva tagliato molte code, moltissime. Lo aveva fatto per Nino, per vedere la sua faccia piena di stupore quando sarebbe tornato.

Forse Nino lo stava aspettando davanti al cancello di Luigi. O forse era rimasto accovacciato dietro la macchina parcheggiata, con gli occhi puntati verso la ringhiera arrugginita. Ma se anche era così, non era servito a nulla perché tanto lui non ci era potuto andare. Lui era rimasto lì, ogni giorno, davanti al muro o sulla Bianca ad aspettare che suo padre lo chiamasse nel suo studio per chiedergli il favore.

Poi, una sera, suo padre lo aveva cercato davvero: lo aveva fatto sedere sul divano con le zampe da cane di pelle morbida e gli aveva sussurrato che era felice di avere un figlio come lui e che era un grande aiutante. Poi aveva aperto il libro blu di matematica e ci aveva infilato una busta tale e quale alle altre. E prima di uscire dallo studio, con il cioccolatino alla menta ancora in bocca, gli aveva detto che dopo la signorina facevano vedere il film dei cowboy alla televisione e che aveva il permesso di guardarlo tutto, fino alla fine.

Questa sera volevo che mamma era con me davanti alla signorina perché così vedeva anche lei che Giovan-

ni Logiusto era sotto il lenzuolo con il sangue che cola-
va sulla strada. Giovanni Logiusto aveva una moglie
giovane e un bambino. L'ha detto stasera la signorina
alla televisione.

I due nomi delle lettere sono morti, gli amici di papà
sono morti, Gesù Bambino.

Papà non ha pianto. Non ha pianto per niente.
Quando il sole è lassù anche il male non c'è più,
con il nero e con la luna vola via la mia paura.
Il male se ne va, vola in alto vola là,
e felice io sarò fino a quando lo vorrò.
Fino a quando lo vorrò, lo vorrò,
fino a quando lo vorrò.

18.

Toni si raschiava la gola a ogni passo.

Pietro lo guardava imbrattarsi la mano di saliva e passarsela dalla fronte fino alla nuca, dalla nuca fino alla fronte. Lisciava e schiacciava quei pochi capelli, sistemandoli per tutta la testa. Toni tolse la mano solo quando si fermò. Poi si voltò verso Pietro e l'appoggiò sulla sua spalla. Gli parlò investendolo di un fiato pesante e alcolico che gli strozzò il respiro.

Pietro vide i denti tutti storti, gli occhi bui che accompagnavano ogni movimento della bocca sottile: diceva che dovevano star attenti e far finta di giocare e non perdere tempo e rispettare Carmine ed essere gentili. Gli ripeté tutto questo, poi finalmente strisciò da dove erano venuti. E per loro, il cuore ricominciò a battere di una furiosa curiosità.

Anche la polvere iniziava a essergli familiare. I muri, le bottiglie vuote, l'oscurità. Non lo spaventavano più. Erano suoi. Il silenzio e l'odore umido non erano pericolosi. Neanche il fetore marcio. Entravano nei suoi occhi, nel naso, sulla pelle come complici silenziosi e naturali. Forse anche in quel momento quegli oggetti lo stavano fissando con i loro occhi invisibili di cemento, di legno, di vetro. E l'avrebbero aiutato, coprendolo e camuffandolo. Forse era davvero così: tutti, silenziosi, partecipavano. Lui era il direttore di un'orchestra nascosta e ogni cosa lì era uno strumento.

Luigi l'aiutò a sfilarsi la cartella di dosso e la appoggiò sul legno scuro e bucherellato, nella cantina D4. Luigi rimase di poco dietro, a guardare mentre Pietro apriva, rovistava, prendeva e chiudeva. Fin quando non vide la lettera tra le sue mani, restò in disparte. Allora ebbe un fremito, acceso e improvviso.

Pietro si sentì premere alle spalle, avanzò di poco sbattendo il ginocchio contro il mobile. Si voltò, con il viso di Luigi che quasi gli toccava la guancia.

"Ho il coltello..." disse Luigi guardando la busta sulla cartella.

Pietro non disse niente, lasciando che si avvicinasse alla carta rigida.

Luigi si piegò per aprirla. Spinse il coltello fin quando la lama piatta si bloccò di scatto: "C'è troppa colla qui... Si strappa la carta se continuo".

"Sta' attento, non la rompere!" fece Pietro.

"Non ce la faccio..."

La busta fu aperta di poco. Restarono uno a fianco all'altro. Pietro sbuffò: "A me... Dallo a me".

"È difficile... Forse è meglio..." Luigi non concluse la frase che già si sentì portar via la lama dalle mani.

Pietro la strinse tra le dita. Si arrotolò le maniche della camicia. Curvò di poco la schiena sul mobile, avvicinando più che poté il viso al ripiano. Poi spinse deciso la lama contro la carta unita. Socchiuse gli occhi e fece leva appena tra i due fogli attaccati.

Un fruscio leggero avanzava pian piano. La colla cedette e la busta si aprì. Solo in un punto la carta si rovinò un po'.

Pietro si mise la mano sugli occhi.

"Bravo!" esclamò Luigi.

"L'ho rotta…"

"No, è appena rovinata. Quando la incollo, torna come era prima."

Pietro sorrise.

Luigi appoggiò la cartella a terra e prese il suo posto, per vedere meglio. Allora Pietro strinse la lettera al petto e tirò fuori ogni cosa. C'erano delle banconote piegate a metà. Spiegò la prima e la seconda. Poi, a voce bassa, lui e Luigi contarono insieme: "Uno… due… tre… quattro…".

"Sempre quattrocentomila lire sono…" disse Luigi.

Le banconote erano quattro. Verdi, marroni e con sopra lo stesso signore con la barba.

Luigi schiacciò il petto alla sua spalla.

Pietro sollevò il foglio bianco, tenendolo stretto tra il pollice e l'indice delle due mani. Se lo avvicinò al viso, Luigi gli era appena dietro. Poi, lesse: "Nino Marrazzo". E "Che Dio ci benedica e protegga sempre".

Quel nome e quella frase rimasero a pochi centimetri da loro, le lettere di ogni parola che si confondevano impazzite.

Con un filo di voce Luigi ripeté nome e cognome. Era un'eco senza fine.

Pietro non si mosse. Continuava a tenere il foglio davanti agli occhi. NINO MARRAZZO, NINO MARRAZZO. E ancora NINO MARRAZZO NINO MARRAZZO. Quei caratteri in stampatello nero, schiacciati in un angolo della carta, erano come sospiri che uscivano e che lo attraversavano dalla testa fino al cuore e giù fino alla punta dei piedi. Non stavano fermi, lo attraversavano e non si fermavano mai. Si sentì gelare le mani.

Pietro si voltò verso Luigi: "Perché c'è scritto Nino Marrazzo? Perché?".

Luigi abbassò gli occhi e non rispose.

"Perché?" chiese ancora Pietro.

"Perché forse... forse tuo padre gli dà i soldi del lavoro che non ha avuto."

"I soldi del lavoro?"

"I soldi... i soldi per il lavoro da giardiniere. Forse non lo ha pagato mai e glieli dà adesso che è in vacanza. Forse glieli fa dare da Carmine," fece con la voce che quasi non si sentiva.

"Da Carmine..." ripeté Pietro aggrottando la fronte. Il foglio gli scivolò dalle mani. Lo raccolse e si appoggiò con la schiena al muro.

Luigi ripiegò con foga le quattro banconote e strappò il foglio dalle mani di Pietro. Rimise tutto dentro la busta e restò per un attimo ad ascoltare quei pensieri che filavano veloci dentro la sua testa. Le sue guance erano diventate rosso fuoco.

Pietro non si mosse ancora, la fronte increspata. Si era incantato a guardare un ragno che entrava e usciva dalle crepe della parete. "Perché Nino?" sussurrò ancora.

Tutti e due ora si fissavano. E non sentirono la porta di legno aprirsi e il cigolio dei cardini gemere acuto. E neppure il tintinnio del mazzo di chiavi e i passi lenti e trascinati nel corridoio.

"Dai, vieni," fece Luigi agitando il tubetto bianco. "Aiutami..."

Intanto il ragno era salito fino alla finestrella in alto e stava tornando alla sua tela, una matassa leggera di fili e piccoli insetti prigionieri da chissà quanto tempo.

"E sbrigati!" insisté Luigi.

"Arrivo."

"Tienilo fermo."

La colla uscì lenta dal tubo bianco. Finì sullo stecco che Pietro teneva stretto a mezz'aria. Luigi premette ancora, fin quando altra pasta trasparente coprì l'intera punta del legno.

Pietro lo guardò fare lo stesso lavoro di sempre. Questa volta, con meno precisione. Lo stecco vibrava irregolare e impreciso sui primi centimetri di carta da riattaccare. Alcune gocce di colla colarono sulla busta sporcandola appena.

Poi il silenzio delle cantine fu rotto, spaccato e frantumato da un secco, pulito raschiare di voce. E dallo schianto della saliva contro il pavimento sgretolato.

Lo stecco con la colla venne lanciato tra il mobile e il muro. L'ultima cosa che Pietro vide, prima di rendersi conto di ciò che stava accadendo. Poi, appena si voltò, guardò Toni scagliarsi contro il figlio, afferrargli un orecchio e sollevarlo con così tanta forza che Luigi dovette alzarsi in punta di piedi perché non glielo staccasse. Toni lasciò cadere il mazzo di chiavi che gli occupava le mani. Quelle che avrebbero dovuto essere appese alla porta di ferro e che per sbaglio l'uomo si era portato via. Le chiavi che ogni volta Luigi girava nella serratura arrugginita a fine lavoro.

Pietro indietreggiò di mezzo passo. Si mise le mani in faccia come a strapparsi gli occhi.

Toni sbatté i pugni contro la testa del figlio, senza mai fare un grido. C'era una smorfia in quel viso alterato che terrorizzò Pietro. La faccia divenne carica di una rabbia silenziosa e lucida, la bocca si allargò fino agli occhi spalancati e cattivi. Tra i denti uscivano parole trascinate e mutilate che Pietro non riuscì a capire. Luigi cercava di proteggersi il viso con le mani, ma la furia del padre lo spinse contro il muro. Gemette. Cadde a terra, tra l'intonaco staccato e la polvere. Piangeva.

Pietro non lo aveva mai visto con le lacrime. E non pensava di doverlo vedere mai. Luigi non doveva piangere, era un bambino coraggioso. Più coraggioso di lui.

Toni prese fiato, poi si avvicinò ancora al figlio. Ogni suo piccolo movimento moriva in quei vestiti larghi e sdruciti da pagliaccio. E proprio mentre ricominciava ad accanirsi ancora su quel corpo stremato, Pietro urlò: "Gesù Bambino!".

Toni si voltò. E sconvolto da un respiro affannoso e profondo, lo fissò. La tosse lo costrinse ad abbassare la testa.

La busta era dove l'avevano lasciata, ancora aperta, sul mobile bucato. Pietro la guardò, mezzo passo in avanti e sarebbe stata sua. L'afferrò più veloce che poté davanti a quegli occhi incendiati e stupiti. Toni tossì ancora, poi si avvicinò deciso. Pietro lo attese fermo, chiudendo gli occhi e arricciando le dita dei piedi. Si aspettava addosso le stesse mani e quel fiato. Invece gli arrivò qualcosa di più atroce: Toni gliela portò via, la lettera. Anche se la stringeva con tutta la forza che aveva dentro. Poi, quelle parole: "A te ci pensa tuo padre come è vero Iddio".

Pietro vide Toni piegare la busta e metterla nella tasca dei pantaloni, tra le pieghe larghe e sformate di quegli stracci sporchi.

Subito dopo, quando tutti e tre camminavano verso la porta di legno, a Pietro sembrò quasi di non sentire più nessuna paura. Non perché Toni l'aveva risparmiato. Non per questo. Ma perché quel pezzo di carta stava tornando indietro con loro. Lontano da quella palazzina verde, lontano da Carmine. E per un attimo, salendo le strette scale che lo riportavano alla luce, rivide davanti agli occhi il foglio bianco e quei caratteri neri, precisi, ordinati, che dicevano: Nino Marrazzo.

Quando la madre di Luigi li vide arrivare tutti e tre insieme si fece il segno della croce. Poi corse ad abbracciare il figlio, zoppicante e viola in volto.

Toni ordinò loro di seguirlo. La moglie no, doveva restare in cucina. Si diresse in salotto e poco prima di sedersi al tavolo rovistò in un cesto infilato sotto il mobile della vecchia radio. Prese qualcosa, che Pietro riconobbe solamente quando fu sul ripiano di legno scuro. Erano dei fogli e una busta.

La macchina da scrivere cominciò a battere. A loro non fu possibile leggere niente. Erano troppo distanti.

Appena ebbe finito di ricontrollare ogni parola, Toni piegò il foglio. Poi tirò fuori le quattro banconote verdi dalla lettera aperta. Mise tutto nella nuova busta bianca che leccò e chiuse.

Pietro dovette portargli la cartella. Il libro di matematica venne aperto e imbottito di quella nuova busta.

"Dalla a tuo padre..." disse. E con tono severo aggiunse: "Chiusa".

Fu con quella che tornò a casa. L'altra, aperta, rimase in quei pantaloni larghi da pagliaccio.

19.

Era come se tutti gli aghi del mondo fossero conficcati dentro la carne. Sentiva questo, come se il corpo non fosse più il suo. La pelle era quella di un altro e anche la gamba e il braccio. Non erano più suoi, erano pesti e facevano male.

Pietro alzò la testa un attimo. In fondo al letto c'era sua madre, lo guardava mentre gli passava lo straccio freddo dappertutto. Lo stendeva sulla pelle blu e su quella viola. Lo appoggiava appena, ma era come se spingesse fortissimo. L'acqua gelida bruciava e faceva tremare la schiena e i piedi.

Si lasciò cadere sul cuscino. Dagli occhi chiusi le lacrime scendevano sulle guance e giù fino alle orecchie. "Non sei mio figlio, tu," sussurrò.

"Pietro, che hai detto?"

"Non sei mio figlio," ripeté troppo piano.

Pensava a suo padre che lo aveva picchiato dopo che aveva letto la lettera di Toni e che ora non lo voleva più. Pensava a quei nomi, alla piccola casa ancora chiusa.

Restò fermo, anche quando i capelli di sua madre gli accarezzavano il viso. Lei gli era accanto e con le dita raccoglieva le lacrime che continuavano a scendere lente.

La sentì cantare la canzone e la seguì con le labbra, ma senza la voce. Cantò in silenzio fin quando lei lo baciò sulla fronte, poi rimase a guardarla mentre usciva dalla stanza. Solo a quel punto si tirò su sulle braccia. Spinse più che poté e si girò su un fianco. La pelle pulsava e bruciava.

Pietro non urlò, schiacciò la bocca contro il cuscino. Poi le sue mani si cercarono, si unirono, si strinsero una contro l'altra.

Fa' che la busta rimane nei pantaloni di Toni. Gesù Bambino, fa' che la busta rimane lì dentro e non esce mai. Mai mai mai.

Così Nino torna. Se la busta rimane lì, lui torna.

Fa' che torna, ti prego.

Ti prego.

20.

Pietro si svegliò e si sentì travolgere da una pesantezza lenta e vigile. Proprio quella che il sonno sembrava essersi portato via e che invece ritornò viva appena aprì gli occhi.

Rimase rannicchiato, a cullarsi mentre il cuore continuava a urlargli dentro come un tamburo impazzito.

Scese dal letto a fatica. Era passata una settimana ma la gamba faceva ancora male, quasi come il primo giorno. Era in parte gialla. In parte verde. Guardarla metteva paura. Così, senza abbassare gli occhi, si infilò i pantaloni puliti.

Zoppicò, sbattendo i piedi contro le scarpe. Quando fu davanti all'armadio lo aprì e prese la maglietta delle Olimpiadi. Il dolore salì per tutto il corpo, fin quando il braccio piegato entrò nella manica. Strinse i denti e, appena le fitte finirono, cercò il barattolo. Pieno a tre quarti, con il coltello appoggiato sopra il coperchio. Le altre cose, in giardino, non c'erano più. Le aveva trovate una domestica sotto il telo di plastica e le aveva buttate, così gli aveva detto suo padre. Tremò nel portarsi le scarpe ai piedi. Dovette curvarsi finché il respiro venne meno. E mentre le sue dita provavano a infilare l'ultimo centimetro di tallone, la porta venne scostata dolcemente. Sollevò la testa di scatto, riabbassandola un secondo dopo.

Fu sua madre a finire il lavoro. Si accovacciò e strinse ben saldi i lacci. Poi lo baciò.

"L'erba è alta?" chiese Pietro fissando il tappeto.

"Sì."

"È molto alta?"

"Sì. Oggi papà la fa tagliare..."

"Chi la taglia?" la interruppe.

"Un uomo che abita qui vicino."

La donna gli accarezzò il viso. "C'è una sorpresa. Vado a prendere Luigi. Vado ora." Pietro la guardò.

"È stato tuo padre a dirlo." Così fate i compiti insieme.

Non rispose. Gli occhi andarono sulla parete di fronte, verso l'indiano arrabbiato.

Pietro sentì quel profumo avvicinarsi ed entrargli nel naso. Fu abbracciato e stretto da quel corpo magro e formoso. Circondato dalle braccia, schiacciato al suo viso. Per un attimo, si sentì bene. Riscaldato e pieno. Liberato.

Poi vide sua madre piangere, attaccata al bianco della sua maglietta. Le avvolse la testa con le mani.

La schiena di Pietro cominciò a pulsare di un dolore insopportabile.

Non si trattenne. Avrebbe voluto far morire quel gemito in gola, ma riuscì a fermarlo solo per qualche istante.

"Scusa, amore, scusami," disse lei sospirando. Si alzò in piedi. "Tra poco torno con Luigi." Si asciugò il viso.

"C'è scritto il suo nome nella lettera! C'è scritto Nino Marrazzo!" disse tutto d'un fiato.

Lei lo guardò con gli occhi ancora bagnati. Riaprì la porta, senza parlare.

"Quando torna Nino?"

Sua madre si bloccò e per la seconda volta restò

muta. Poi richiuse la porta, cancellandosi completamente dalla sua vista.

Pietro aspettò il rombo delle automobili seduto sulla gradinata di fronte alla fontana. Quando lo sentì che arrivava, ritornò nella sua stanza.

Ingannò quei pochi minuti di attesa dondolando la gamba che non gli faceva male. La fece oscillare sotto la sedia, finché la maniglia della porta si abbassò decisa.

Vide Luigi. In mano stringeva la sua solita sacca di pezza marrone. I capelli biondi, scomposti, scendevano sulla fronte, nascondendo in parte la crosta scura di un sottile taglio. Abbandonò a terra ogni cosa. E aprì bocca solo quando gli fu seduto a fianco, abbozzando un sorriso.

"Mi vuole parlare... Me l'ha detto tua madre. Mi vuole parlare ora!" gli sussurrò nell'orecchio.

"Chi?" chiese Pietro.

"Tuo padre!"

La gamba di Pietro ricominciò a vibrare. "Lui lo sa che l'abbiamo aperta. Lo sa. Gliel'ha scritto tuo papà nella lettera!"

"Sì, lo so," fece Luigi, fissando il labbro spaccato di Pietro. "Me l'ha detto mio padre."

"È ancora nei pantaloni? È lì la lettera vecchia?"

"In quali pantaloni?" domandò Luigi.

"Quelli di tuo papà. Quelli larghi."

"Non lo so se è ancora lì. Però credo che è in casa. Mio padre non ci può andare da Carmine."

Qualcuno si stava avvicinando nel corridoio. Il rumore regolare delle suole contro il pavimento cresceva ed era sempre più vicino.

Lo sentirono da subito.

Luigi spostò la testa verso l'unico libro davanti a loro. Lo aprì, iniziando a leggere a voce alta.

Anche Pietro si avvicinò al tavolo.

Solo pochi secondi e suo padre fu nella stanza, alle loro spalle. "Già al lavoro? Allora Luigi deve venire più spesso qui…"

"Buongiorno signore," disse Luigi girandosi.

Pietro non si voltò. Il suo viso restò inchiodato alla fotografia di un gatto bianco in fondo alla pagina. Ma fu come se lo vedesse, suo padre: con la sigaretta tra le dita, con l'orologio che ruotava in mano, gli occhi sottili, il panciotto nero sulla camicia bianca. E le scarpe lucide.

"Prima che te ne vai, Luigi, passa nel mio studio," fece sorridendo.

"Va bene signore."

Le scarpe erano davvero quelle nere e lucide. Se ne andarono, con l'orologio e tutto il resto.

Era un uomo alto e magro, con pochi capelli bianchi. Non aveva la tuta verde. Vestiva con una camicia marrone e con dei pantaloni corti e chiari. Passava da una parte all'altra del giardino, asciugandosi il sudore sulla fronte. Ogni tanto si voltava verso la fontana e la casa, per poi ritornare con lo sguardo alla macchina per tagliare il prato.

Pietro aveva corso. Mentre Luigi era nello studio con suo padre, era corso zoppicando verso il ronzio lontano del tosaerba.

E l'aveva visto.

Si era seduto sugli scalini d'entrata a guardare l'erba che si accorciava. Quell'affare funzionava lo stesso, anche senza Nino.

Per un attimo aveva creduto che quel ronzio lo avrebbe riportato da lui. Invece no, tutto era uguale a prima.

Puntò lo sguardo in fondo al giardino e si chiese se

anche gli uomini al cancello si fossero domandati dove era andato Nino. Forse pensavano che era in vacanza, che aveva deciso di non essere più un giardiniere. O forse a loro non importava. Perché loro non erano amici di nessuno, salutavano e basta.

Pietro si alzò in piedi. Salì la scalinata e rientrò. Superò il soggiorno e la sala della televisione. Lo sguardo alla graniglia scura che macchiava il marmo lucido.

Arrivò al corridoio. C'erano quegli occhi, grinzosi e dipinti, che lo fissavano severi dalle pareti. Occhi cattivi e minacciosi. Occhi di pietra, seri. Occhi tristi. Non li guardò. Accelerò verso il grande pendolo che batteva secco i suoi rintocchi. E fu davanti alla porta chiusa dello studio ad ascoltare silenzi e la voce di suo padre, confusa e pacata. Le parole erano troppo deboli perché gli arrivassero chiare. Luigi disse qualcosa, suo padre rispose. Di nuovo Luigi. Una sedia cigolò. I rintocchi vicini confondevano tutto.

Si allontanò in fretta. Ritornò seduto, davanti al libro.

Lì attese. Ma non sentì nessuno. Non quel tipo di passi che aspettava. Così, all'improvviso, se lo trovò di fronte. Faceva dondolare la sacca tra le mani, aveva gli occhi stanchi e fissava la finestra.

"Ciao, io vado a casa. C'è tua madre che mi sta aspettando." Anche il tono di voce era strano, troppo alto per essere il suo di sempre. Si voltò e fece per attraversare la porta aperta. Si fermò. Tornò indietro, richiudendola. Velocemente si portò al suo orecchio: "È uguale alle altre. È per Carmine, vuole che ci vado io".

E subito lo vide uscire e scomparire in fondo al corridoio. Assieme a tutte le risposte che avrebbe voluto avere.

21.

Pietro richiuse dietro di sé la porta della sua stanza. Aspettò lì, in piedi, con l'orecchio al corridoio silenzioso. Quando fu sicuro, si schiacciò a terra. Sentì il marmo freddo bruciare sulle mani e sui polpacci. Poi, come una lucertola, iniziò a strisciare. Mentre il nero saliva e tutti dormivano, lui si infilava là sotto. Nessuno in tutto il mondo ci poteva arrivare. Aveva dei muri altissimi che neanche un gigante poteva superare e un'unica porta da cui solo i bambini potevano passare, perché i grandi ci rimanevano incastrati e dopo morivano soffocati. E poi, se lui voleva, poteva far crollare il tetto del nascondiglio con una parola magica: bastava ordinare al letto di ritirare le gambe e chi era lì sotto finiva schiacciato all'istante.

Pietro accese l'abat-jour e sotto il letto tutto si illuminò. Poi chiuse gli occhi, perché nella sua testa le immagini buone che aveva visto quella sera alla televisione stavano tornando vive. Gli sembrò di essere ancora accanto a suo padre. Di fronte la signorina sorrideva e parlava con voce gentile. Aveva un vestito chiaro con sopra una spilla a forma di cane che ogni tanto brillava un po'. Lei lo guardava dritto dritto negli occhi e qualche volta abbassava la testa per girare un foglio sopra il tavolo. A un certo punto era scomparsa ed era arrivato il prato verde del campo di calcio. C'era un giocatore della squadra del nord che aveva fatto un passaggio lunghissimo, dalla sua porta fino a dopo la metà del campo. Lì un altro giocatore che aveva delle gambe piccole ma che erano due fulmini aveva superato un avversario e aveva messo la palla in mezzo all'area. Subito dopo, senza che neanche la palla toccasse l'erba, il numero nove si era alzato in aria e aveva colpito la palla in rovesciata, con la testa che gli toccava quasi terra. Il pallone si era infilato vicino al palo, il portiere non si era neanche mosso. Tutti i giocatori della squadra del nord si erano messi a saltare e avevano rincorso e sommerso il numero nove.

Il nome e il sangue non c'erano. Già da molte sere non si vedevano più.

22.

Così, mentre quell'uomo alto e curvo gli passava accanto, Pietro premette la lama contro la terra secca e polverosa. Vide la coda staccarsi di colpo. E quella gamba fermarsi di fronte.

"E se eri tu una di quelle?"

Il coltello fu spinto ancora. Dentro il terreno.

"Pensa se eri una di quelle e un bambino ti tagliava la coda."

La lucertola smise di agitarsi, schiacciata dal peso della mano.

"Io sono già senza coda."

"Allora pensa se ti tagliavano le gambe."

Pietro non si voltò. Restò seduto, con gli occhi contro il muro bianco mentre con due dita continuava a schiacciare la lucertola a terra.

"Pensaci..." fece l'uomo. Gli camminò a fianco, con le tenaglie in mano. Scomparve al di là della siepe.

Non erano sue quelle forbici. E neanche la tuta verde. Neanche il letto e la casa e la televisione gialla erano i suoi. Pietro pensò che nessuna di quelle cose era sua. Perché erano già di qualcun altro. Erano di Nino e basta.

Liberò la lama dalla terra e la sollevò a mezz'aria. Era sporca e un po' rigata al centro. La fissò e la mosse di scatto. L'accompagnò una, due, tre volte dove poco prima aveva poggiato la mano. Contro quella carne, viva, impaurita, immobile. Lo fece ancora e ancora.

Si fermò, guardando quell'impasto di terra e sangue.

E pensò che non gli sarebbe dispiaciuto essere una di loro. Sì, una lucertola: che non porta lettere, che non piange, che non guarda la televisione.

Dopo poco, il sole cominciò a scendere. Scomparve quando lui era già seduto a tavola. E in quella penombra loro due pregarono insieme. Per quel cibo benedetto.

Pietro, dentro, non pregò. Con le mani giunte, si nascose il viso e non disse grazie a nessuno. Aprì appena le dita e guardò quel posto vuoto, di fronte a sé. Gli parve di sentire ancora quelle grida e quei lamenti che prima aveva ascoltato dalla sua stanza. Solo a quel punto, quando suo padre ebbe finito di ripetere le solite frasi, parlò per primo.

"Dov'è mamma?"

Per un attimo suo padre alzò gli occhi dal piatto.

Poi ritornò a mangiare.

Aderita appoggiò sul tavolo la caraffa d'acqua.

La fretta del gesto la fece quasi traboccare.

"Dov'è mamma?" insisté.

Non ebbe risposte. Solo il lieve risucchio della minestra in quella bocca. Nient'altro.

Pietro lo guardò fisso. Attese qualche secondo e ci riprovò. "Dov'è..."

"Mangia!" Suo padre avvicinò la testa al viso del figlio. Gli occhi feroci. "Mangia!" gridò più forte.

Pietro prese in mano il cucchiaio e lo immerse per metà nel brodo caldo. Fissò il suo viso riflesso nella minestra. Sembrava un mostro senza forma. Gli occhi si rimpicciolivano e si allargavano mentre la bocca era una macchia nerissima e poi un puntino grigio. Il naso non c'era più.

Tirò su la testa. Poi si vide alzarsi di scatto, la sedia che si ribaltava. Si guardò correre, chiudere gli occhi e andare verso il fondo della sala.

Gli urli di suo padre rimasero indietro.

Il corridoio finì presto. Le porte sfilarono una dietro l'altra, come l'oscurità di quei visi smilzi e seri che dalle pareti non fecero in tempo ad accorgersi di lui. I colpi del grande orologio battevano lenti.

Pietro entrò nella stanza dei suoi genitori.

Sua madre era sul letto, con gli occhi aperti. C'era il sangue sul cuscino. Una sottile riga rossa.

Si avvicinò, piano. E l'abbracciò. Lei gli sorrise, senza parlare.

"Dove ti fa male, mamma?"

"Non è niente, amore... sono solo stanca."

"È solo stanca, lasciala riposare," fece suo padre dalla porta.

Pietro si voltò, lo guardò sorridere.

"Sanguina, sanguina! La mamma non è stanca, sta male!" fece rabbioso.

"Dai, che poi io e te ci guardiamo la televisione."

"Ascolta tuo padre. Tra poco mi alzo e vengo da voi, vengo anch'io alla televisione," disse sua madre.

"Dove ti fa male, mamma?"

Lei sorrise a fatica. "Ascolta tuo padre. Vai... sono solo stanca."

Quando Pietro ritornò a tavola la minestra era quasi fredda. Ne bevve due cucchiai, il resto lo rimescolò nel piatto finché Aderita non lo portò via. Sentiva lo stomaco che bruciava e che era come un grosso pugno chiuso. Non mangiò nient'altro. Rimase sempre con gli occhi alla margherita ricamata sulla tovaglia, mentre la bocca rumorosa continuava a masticare davanti a lui.

23.

Nino
La signorina ha detto Nino Marrazzo incensurato di
sessantacinque anni
Nino

Nino Marrazzo lo hanno trovato morto nei pressi di
una strada fuori città. Gli hanno sparato due colpi di
pistola alla nuca

Nino è sotto il lenzuolo bianco e si vede il sangue

24.

Ci pensavano gli indiani arrabbiati a vegliare su di lui e sua madre.

Nella stanza non c'era nessun altro a vederli. La porta lei l'aveva chiusa appena erano entrati. Aveva poi spalancato la finestra e così era arrivata l'aria della notte e anche il canto dei grilli.

Ora erano raggomitolati uno contro l'altra, la testa più piccola sotto il collo più lungo, il braccio sottile che avvolgeva il fianco magro e rannicchiato.

Sentiva la mano di sua madre, sentiva il velluto bianco delle dita, leggero, gentile. Lo sfiorava sull'orecchio e sulla guancia. Gli toglieva i capelli dagli occhi e anche le lacrime. Si fermava sul petto e lì cercava di calmare il cuore che rimbombava. Ma non ci riusciva, allora la mano di velluto bianco si muoveva fino alla sua testa, si apriva e gli avvolgeva la fronte.

Teneva il naso schiacciato al suo collo. Quando sentiva che il pianto diventava ancora più forte, strofinava gli occhi e la bocca e il mento sul suo collo sottile. Poi con le mani stringeva i suoi capelli e se li portava fino alle narici. Li strisciava, li strisciava ancora, e a ogni respiro il profumo gli entrava dentro e gli arrivava fino in fondo ai polmoni. Arrivava fino allo stomaco e lì si spegneva.

Guardò gli occhi bagnati di sua madre che brillavano nella penombra. Lei gli accarezzò i suoi, che erano tutti di lacrime. Glieli baciò. Poi iniziò a cullarsi e a cullare lui, piano. E a sussurrare la canzone, con la voce roca che vibrava.

Dormi mio bambino
dormi adesso, qui vicino
e quando la luna sorgerà
tutto il male se ne andrà.

Le palpebre restavano aperte. Se Pietro le chiudeva, le immagini diventavano ancora più vive. C'era il lenzuolo e c'era Nino steso sotto. C'era il fuoco che gli saliva alle tempie e negli occhi. Le gambe che tremavano, il pianto assieme ai singhiozzi. E c'era il viso di suo padre, asciutto, senza lacrime.

Ora, distesi sul letto, Pietro e sua madre respiravano insieme. Con il suo respiro lei gli toccava la fronte e provava a entrargli dentro. Era un soffio leggero che voleva guarirlo e farlo stare bene.

Intanto il buio era lì, e se molte volte aveva addormentato tutti per salvarlo, adesso era impotente. Non poteva più proteggerlo, non aveva più forza, il buio.

Pietro mosse una gamba, sfilandola da sotto il piede di sua madre. Sentiva il proprio corpo paralizzato. Si girò, lasciando che la mano si liberasse da sotto le pieghe della veste di lei. Rimase con gli occhi semiaperti, verso il soffitto sporco di una luce quasi impercettibile.

"Nino non era in vacanza," disse Pietro. Sua madre lo baciò sui capelli, lo abbracciò.

"Non era andato in vacanza, il suo nome era scritto nella lettera. "

Lei gli strinse il viso tra le braccia, poi lo cullò ancora.

"E anche gli altri due nomi della lettera sono morti. E loro non erano suoi amici e allora i soldi a cosa servivano?" le lacrime scesero sulle guance fino al cuscino.

C'erano i grilli là fuori. Il loro canto entrava dalla finestra e passava attraverso le grate di ferro battuto, una voce instancabile che ricopriva il giardino e invadeva ogni angolo della casa.

Pietro sollevò la schiena e restò seduto sul bordo del letto. Fissò sua madre: gli occhi chiusi e la testa abbandonata sul cuscino. Si spinse fino in fondo al materasso. Le molle cigolarono solo alla fine e lei non se ne accorse. Pietro trattenne il respiro, poi fece leva sulle braccia e toccò terra.

"Non era in vacanza," sussurrò.

L'oscurità divenne man mano più debole, i suoi occhi iniziarono ad abituarsi al nero che lo circondava. Allora distese il braccio destro, per sentire l'armadio in fondo alla stanza. Lo seguì fino all'ultimo spigolo, poi aprì di poco la porta a fianco. E uscì.

Camminava lento, un passo dopo l'altro. Si appoggiava al muro, mentre le lacrime ritornavano a scendere calde e decise. Gli scivolavano sulle guance, fino al mento. Uscivano dai suoi occhi bagnati, senza aver bisogno di nessun gemito che le accompagnasse.

Pietro rallentò davanti alla camera dei suoi genitori. Sfiorò la maniglia, la toccò. La strinse e l'abbassò lentamente. Poi, scostò la porta. Strofinò il dorso delle mani contro le guance. E, senza muoversi, cercò la sagoma di suo padre al centro del letto, quel viso asciutto, senza nessuna lacrima.

Pietro non piangeva. I suoi occhi, ora, erano solo per vedere. Diventarono mobili e lucidi, si fermarono dove la coperta era mossa e gonfia. Nel punto in cui il russare si faceva più pesante.

Si avvicinò ancora un po'. Suo padre arrivava fino alla fine del letto, le mani incrociate sulla pancia, le gambe appena divaricate.

Fece ancora due passi. Ora poteva vedere il comodino in legno con sopra l'orologio, gli occhiali, il pacchetto di sigarette rigido. Non si spostò più. Ascoltò il respiro che scuoteva il petto.

Chiuse le mani. L'unghia si conficcò contro il palmo grinzoso. Non c'era dolore in lui. Perché il suo cuore copriva ogni cosa, annullava ogni altro senso.

Spalancò gli occhi e pianse ancora.

Adesso gli era accanto. Guardava la testa di suo padre confusa con il cuscino, con l'odore di fumo vecchio che si univa a quello debole di colonia. La testa era appuntita, quasi verde, le labbra sottili, gli occhi allungati e senza ciglia. Sotto il lenzuolo qualcosa si mosse, come un guizzo, come una frusta.

Si chinò.

Poi, all'improvviso, arrivarono le mani di sua madre. Gentili e morbide. Gli accarezzarono la nuca e le spalle. Gli tolsero le lacrime.

Pietro si voltò di scatto e la vide. Con i suoi grandi occhi verdi, con il suo profumo.

Lo portò via. Insieme si allontanarono da quel letto. Pietro continuò a guardarlo fin quando non varcò la porta. Solo a quel punto Pietro si accorse della luce nel corridoio e della notte che stava scomparendo.

25.

Pietro era tornato nella sua stanza a guardare il barattolo con le code sul comodino. Le aveva contate e ricontate nel rosso dell'alcol, con il dito che scorreva e girava per tutto il vetro. Aveva aspettato le carezze e il bacio di sua madre.

Dopo che se ne era andata, quando era stato solo, si era seduto sul letto. I suoi occhi che si muovevano dappertutto.

I grandi dormono. Non dormiamo io e te. Ti vedo, sei cattiva. Con il buio ti vedo lo stesso e ora ti prendo. Sei sul muro, ora sei in aria, ora sei sul letto, ora sei sulla mia gamba. Ti vedo sempre. Siete tante, vi vedo. Una, due, tre, quattro, siete quattro lucertole grosse e lunghe e siete cattive.

Venite vicino, più vicino.

Non ho paura, ho il coltello io, è sotto il cuscino.

Vi vedo anche se correte. Prendo te, poi te. Sono veloce, più veloce di voi. Così il barattolo diventa tutto pieno.

Poi prendo te in aria.

Poi prendo te sulla porta.

Siete cattive e dovete morire, perché lo decido io, perché adesso i buoni non muoiono più.

Solo i cattivi muoiono, tutti i cattivi, anche quelli grandi, anche quelli grandissimi. Anche quelli senza coda.

Poi prendo te nel corridoio. Poi te sul soffitto.

Ora vengo da voi.

26.

Ora le lucertole erano dappertutto. Comparivano all'improvviso davanti ai suoi occhi e iniziavano a correre, poi restavano ferme a guardarlo. Alcune erano lucertole giganti, altre piccolissime e avevano denti come coltelli. La prima, Pietro l'aveva vista prima di mettersi a letto. Era apparsa dal niente. Aveva frustato le sue dita con la coda e si era messa a camminare a mezz'aria. Dopo di lei ce n'erano state molte altre, sulle pareti della sua stanza, sul letto, sulla sua pancia. Lui non ne aveva mai viste così tante. Si legavano tra loro con le code, volavano da una parte all'altra, poi si dividevano e gli si appiccicavano addosso.

Le aveva catturate, le aveva strette tra le mani e aveva tagliato ogni coda. Perché senza coda loro scomparivano. Ma dal vuoto, in un baleno, ne nascevano sempre altre. Ne contava una, due, tre. E ancora e ancora.

Adesso le stava seguendo mentre uscivano dalla stanza. Le fissava una per una, nella penombra del corridoio. Poi le sue mani si aprivano e si chiudevano sospese sopra la sua testa, afferravano il vuoto che si faceva lucertola, lo stringevano, lo schiacciavano. Lo facevano a pezzi, mentre le labbra bagnate sussurravano parole senza voce. I piedi nudi non sentivano freddo, tutta la pelle rimaneva tesa in uno spasmo intenso, verso le lucertole che scappavano in ogni direzione.

Di scatto, si sedette a terra. Poi si mise a quattro zampe. Non si mosse, fissò la mattonella di marmo e aspettò che in un secondo nascesse un altro di quei rettili. E quando il vuoto prese forma fece scattare il suo coltello e glielo premette contro.

"Ti ho vista," sussurrò.

Si stese sul pavimento e iniziò a strisciare. Strisciava perché la più grossa di tutte quante era andata a infilarsi sotto la cassapanca del corridoio. Lui ora andava a prenderla e per farlo doveva trasformarsi in una di loro. Doveva diventare lucertola. Così le arrivò vicino, attento a non farsi sentire. Si fermò che le era quasi a fianco e come un fulmine l'afferrò, la strinse forte, le montò sopra senza neanche darle il tempo di agitarsi. In meno di un secondo le aveva tagliato la coda. Era lunga più di un metro e brillava di una luce accecante.

Pietro si alzò di nuovo in piedi. Le sue dita stringevano ancora il vuoto, sopra di lui. Doveva catturarne il più possibile, così finalmente le lucertole cattive non avrebbero più ucciso gli uomini buoni.

Erano velocissime. Una era finita sul quadro dell'uomo con i baffi, camminava tutt'intorno alla cornice e aveva gli occhi rosso fuoco. Con un solo gesto la inchiodò alla parete e la tagliò a metà. Poi fu il turno della più piccola di tutte: era appesa al soffitto e faceva dondolare una coda lunghissima che strozzava tutte le persone buone che ci passavano vicino. Pietro sollevò la lama e affettò l'aria, mentre i suoi occhi brillavano severi. Sorrise, poi si bloccò. La coda che strozzava era caduta ai suoi piedi.

Il suo sguardo seguì l'oscurità, frugò in ogni angolo del corridoio e si fermò alla parete senza quadri appesi. Fu un secondo, e poche, leggere scaglie di muro crollarono a terra, scrostate dal suo coltello. Assieme a esse, cadde anche la coda gialla di una lucertola molto cattiva che attaccava solo i bambini. Lui l'aveva vista al muro e in un respiro l'aveva catturata e gliela aveva fatta pagare.

"Cattive," bisbigliò.

Arrivò al pendolo. Dentro, la cosa strisciava ovunque. Passava dallo stomaco alla gola e si appiccicava alle pareti della pancia. Come una lucertola al muro.

Forse tanto tempo fa ne ho inghiottita una, pensò Pietro strofinandosi le labbra.

Forse una di loro, una notte, era andata a trovarlo e dalla bocca aperta gli era scivolata fino in fondo e, al caldo, si era addormentata. Poi non aveva voluto più andarsene. Ogni tanto si risvegliava e allora lo mordeva, lo graffiava, gli faceva male. Ormai abitava lì e lui non poteva catturarla. Ma l'ultima, la più cattiva di tutte, Pietro sapeva dove andarla a prendere. Era nella stanza di fronte al pendolo, dormiva nel letto.

Pietro spinse piano la porta, stringendo nel palmo rattrappito e sudato l'impugnatura liscia del coltello.

Guardò il buio debole della stanza. Poi, entrò. Il russare lo investì, pesante e irregolare.

Attese in piedi, fermo.

Ogni spigolo e linea divennero netti. Il letto era sfatto da una parte sola, un grande rigonfiamento raccolto che si muoveva con il respiro.

Fece pochi passi, guidato dalla luce fioca che filtrava dalla porta socchiusa.

Dentro, la sua lucertola graffiava.

Aggirò il letto e si bloccò solo per un attimo, quando quel respiro scomparve e qualcosa, là davanti, si spostò. Durò poco, ma in quel secondo i suoi muscoli gelarono.

Al suo fianco c'era il comodino con l'orologio e le

sigarette. Di fronte, la più cattiva di tutte dormiva. Pietro sollevò di poco lo sguardo: su tutto il letto, sul séparé in legno, sulla finestra chiusa. E quando vide sua madre accanto alla tenda di veli che lo fissava, sentì che quegli occhi lo avrebbero accompagnato.

Il russare si era fatto più violento.

Pietro abbassò la testa. Il nome, *Nino Marrazzo*, ritornò ancora con la stessa forza che lo aveva squarciato la prima volta. E con lui tornarono gli uomini sotto i lenzuoli bianchi. E il sangue sulla strada. E Carmine.

Pietro alzò il braccio. La lama, già aperta, sopra tutto. Le lacrime asciutte, dentro i suoi occhi accesi.

27.

Sua madre sospirò. Il petto pulsò in fuori, spingendole i seni contro la vestaglia leggera, le mani strisciarono sulla testa, sul viso, sul collo.

Un rantolo spaventoso riempì la stanza. Una specie di lamento prolungato lì accanto, seguito da urla soffocate, da colpi secchi. Da parole confuse.

Per prima cosa ci furono il letto scosso, le lenzuola vive. Poi lei sentì il suo cuore diventare pesante e veloce, lo stomaco che si stringeva. Le sue grida unite alle altre.

Fece un passo avanti, strinse il muro con le mani, tastò il legno del comodino e il cappello della lampada. Le dita afferrarono il cordone sottile dell'abat-jour e tirarono.

Il nero scomparve.

Qualcosa, dall'altra parte della stanza, cadde. Qualcosa che la luce non fece in tempo a mostrarle. Un tonfo che per una manciata di secondi continuò a dimenarsi nervoso contro il pavimento. La camera le sembrò vuota e silenziosa per un attimo, fin quando la voce di Pietro strillò forte. Le arrivò flebile e poi acuta, sporcata di un gemito adulto.

Si gettò dove poco prima lo aveva visto. E lo trovò schiacciato a terra, al lato del letto, attaccato a suo padre che gli era un po' sopra e stava con gli occhi spalancati al figlio. Teneva una mano premuta sulla spalla, suo padre, contro il taglio che sanguinava appena. L'altra stringeva quel braccio piccolo che si era abbassato su di lui. Lo stringeva che sembrava spezzarlo, le dita quasi a entrare dentro la pelle. E mentre continuava, il suo sguardo andò al taglio e di nuovo a quel viso bagnato. Ora suo padre stringeva sempre meno, ancora meno, quasi più. Allora lasciò la presa e con la bocca che tremava sussurrò: "Pietro...".

Il corridoio finì.

Quando le gambe gli cedevano, lei lo aiutava a rialzarsi.

Davanti alla sala della televisione sua madre gli appoggiò una mano sulla bocca, e Pietro abbracciò quei fianchi magri, il viso premuto sul suo ventre, chiudendo gli occhi mangiati dal pianto.

Le dita di lei si scostarono dalle sue labbra e gli strinsero un po' il viso, un po' la schiena. Lo tenevano stretto, non lo lasciavano. Lo trascinavano un passo dopo l'altro.

Tutto, dentro, era morto. Tutto. Ogni cosa era morta, anche la sua lucertola era morta. E il suo stomaco e il cuore e la testa. Sentì il niente. Il vuoto che lo aveva riempito e gli aveva lasciato una grande stanchezza. Una paura dolce. Rivide ancora per un attimo suo padre: seduto sul pavimento, lo sguardo al muro, le mani sulla testa.

Adesso voleva solo fissare le gambe di sua madre accanto alle sue. Incantarsi su quelle caviglie belle che avanzavano silenziose. Si mischiavano al pavimento chiaro, erano diventate mattonelle. Fredde, bianche mattonelle in movimento.

C'erano l'aria fresca e i grilli che cantavano.

Ora le era in braccio, la testa che ondeggiava sulle

spalle appuntite e vibrava per la corsa. Da lì poteva ascoltarle il respiro, le attraversava la schiena e usciva dalle labbra aperte che ogni tanto gli baciavano le spalle nude.

L'acqua della fontana gorgogliava e li accompagnava.

Pietro provò a guardare, ad alzare appena le palpebre: il nero aveva inghiottito ogni filo d'erba, sasso, muro, albero. Non c'era più nulla, soltanto il buio. E lui avrebbe vissuto per sempre sbattuto e cieco in braccio a quel corpo stanco.

Il respiro di sua madre diventò affannoso.

Pietro riaprì gli occhi, la notte era sempre lì. Copriva ogni cosa, avvolgeva lui e il mondo intero. Addormentava, stordiva.

Adesso lui non era altro che un intreccio di carne stanca e dolorante, la notte profonda se lo stava mangiando.

Poi i sobbalzi finirono.

L'ultima voce che udì fu quella di sua madre al cancello.

"Aiutateci..."

E il suo profumo era dappertutto, era dentro lui.

28.

Ci sono dei pesci che si chiamano pesci ragno e che sono pericolosi perché pungono. È vero, Gesù Bambino, l'ha detto Luigi che si chiamano pesci ragno. E poi ha detto: "Bisogna fare il bagno con le scarpe così non ci pungono!". Così abbiamo fatto il bagno con le scarpe trasparenti e mi faceva ridere vedere le scarpe dentro l'acqua! Poi ho fatto vedere a Luigi che sono molto bravo a nuotare e che se voglio arrivo dove non si tocca per niente. Anche mamma ha visto che sono bravo perché mi guarda sempre quando facciamo il bagno. Lei mi saluta e io la saluto e ci sono delle volte che si tuffa ma esce subito perché dice che l'acqua è fredda. Però io non la sento che è fredda e mi piace restare in acqua così mamma mi guarda e ride. Perché quando mamma ride rido anche io.

L'ho scritto anche a papà che sono bravo a nuotare. Lui ha scritto che vuole venire al mare con noi ma ora non può perché è lontano e non lo lasciano andare più da nessuna parte. E mamma ha detto: "Lo fanno venire quando papà ritorna tutto buono!". È vero, Gesù, non può venire perché è buono solo a metà.

Dopo papà ha scritto: "Mi dispiace che non ho visto i tuoi bei voti alla scuola nuova!". E ha scritto anche

"*Ti voglio bene*". Però io non gli ho scritto "*Ti voglio bene*". Però forse è vero che quando ritorna è tutto buono come ha detto mamma. Buono come mamma e buono come Nino.

Fa' che diventa buono come loro, ti prego, Gesù Bambino.

Postfazione

L'idea di *Senza coda* mi venne in un ufficio postale a Bologna mentre ero in fila con una bolletta del riscaldamento da pagare. Era il gennaio 2003, studiavo all'università e vivevo con cinque amici in un appartamento nel quartiere ebraico. Ognuno di noi a turno si occupava delle spese di casa e ricordo che fin da subito avevo adottato un mio rituale: andavo in posta con la bolletta chiusa, la scartavo all'ultimo momento, pagavo con il bancomat e solo dopo mi facevo rimborsare dai miei coinquilini. Era una liturgia che aveva a che fare con un'organizzazione maldestra, e con qualcosa che mi stava sfuggendo. Perché continuavo a custodire questa busta, cocciutamente sigillata, tra le mani?

Quel pomeriggio di gennaio rimasi in fila mezz'ora e aprii la bolletta quando chiamarono il numero prima del mio. Fu adesso, mentre la scartavo con frenesia, che per la prima volta dipanai cosa mi attraversava. Non erano solo lo spavento e il desiderio. Lo spavento di conoscere quanto avrei dovuto pagare (196 euro) e il desiderio di venirne a conoscenza il prima possibile. Era la possibilità di far perdurare un mistero. La cifra del riscaldamento diventava più preziosa tanto più rimaneva nascosta. E io, solo io, avevo conferito questa tensione a un elemento così insignificante. Cosa sarebbe accaduto se al posto di un tot di metri cubi consumati di gas ci fosse stato ben altro? Cosa sarebbe accaduto se l'ago della bilancia fosse stato l'istinto di un ragazzino?

Seppi così che una busta chiusa era una storia da raccontare. Quella di Pietro, un bambino che si legava a un mio immaginario e a certe letture degli ultimi mesi. Quella di Nino, probabilmente l'unica sostanza autobiografica dell'opera, presa direttamente dal ricordo di mio nonno. Quella di una Sicilia remota e controversa. Rimaneva il salto: scrivere. Ero stato un lettore forte tardivo (avevo cominciato davvero a vent'anni), e uno che con le parole non aveva ancora fatto sul serio. Non avevo mai premeditato l'atto del romanzo, ma tornando a casa, quel primo pomeriggio di gennaio, decisi che potevo farcela. Volevo fosse un libro teso e tenero, centrato sulla rivelazione dell'infanzia. Lo scrissi d'istinto, per metà a Rimini e per metà a Bologna, quasi in segreto, con un sentore di possibilità che ancora ricerco.

Impiegai un anno a finirlo, poi rilegai il manoscritto e lo spedii a undici editori. Quattro mesi più tardi, il 30 aprile 2004, mi inviò una mail Sergio Fanucci: "Caro Missiroli, ho letto *Senza coda* e mi è piaciuto. Ha bisogno di un editing corposo e vorrei sapere se lei è disponibile a parlarne".

Devo al coraggio di Sergio, al talento di Luca Briasco e soprattutto all'arte di Chiara Belliti se questa storia è ancora come vorrei fosse scritta. E devo all'editore Feltrinelli il suo ritorno in libreria con questo entusiasmo.

M.M.